U0065388

生命中可以沒有茶香，但，絕對不能缺少書香。

凱信企管

飯局

決定你的結局

職場必懂的飯局潛規則

前言

不懂飯局的規則，可能隨時會出局

人生，有時猶如一場飯局，從繁華到寂然，從絢爛到湮沒，從風起雲湧到雲淡風輕，從粉墨登場到華麗謝幕。中國文化源遠流長，「飯局」一詞起源於宋，迄今有一千多年歷史了，在漫長的歷史長河中，那些歷史人物在飯局上的精彩博弈，至今讓人為他們的智慧所折服。如春秋時候的齊相晏子，在飯局之上「二桃殺三士」，兵不血刃地消除了讓人擔憂的政治隱患；藺相如澠池會上屈秦王，開趙國數十年之太平。此外，如「鴻門宴」、「青梅煮酒論英雄」、「杯酒釋兵權」、「火燒慶功樓」等歷代著名飯局已是耳熟能詳、婦孺皆知。可見，從古至今，飯局都擁有不可忽視的力量。

有時，很多在平日裡不好談，不好辦的事，但凡換到飯桌之上，一切也就好談、好辦了，所以，飲食之道，有時也是人情世故之道。一場飯局，既能是親朋故交之間的溝通交流，也是生意對手間的交鋒談判。因此，自古以來在中國，「食」就不僅僅是滿足人們的生理需要，它還扮演著更重要的角色，即社交的載體。所以，透過飯局，我們看到的是飲食之道裡的群體利益、社會關係、人際規則和文化滋味。所以，所謂飯局之妙，不在「飯」而盡在「局」也。

飯局，有時候不僅僅只是影響到自己的成功與失敗，甚至可以影響到自己的人生軌跡。所以，一個人要想在這個社會上立足，不管處於什麼樣的地位，扮演著什麼樣的角色，如果不懂飯局宴會上的這些規則，都有可能面臨出局的危險。

飯局越來越受到人們的重視，也有越來越多的人想一探飯局的遊戲規則，以期許自己能夠在飯局上如魚得水。本書根據人們的需要，本著以歷史為鏡的宗旨，用歷史上最有影響力的飯局開篇，為後面娓娓道來的各個局作鋪墊，結合現實案例，教會我們如何玩轉宴會現場。還詳細地介紹了從邀請客人到用餐、結帳的每個細節，讓我們從此和不懂餐桌禮儀的尷尬說再見。更細心地附上各地的美食行情等常識性東西，以備讀者參考。可以說，本書不僅是一本餐飲禮儀書，還是一本不可多得的處世哲學，更是一個貼心的生活小祕書，希望讀者朋友在讀過這本書後，能夠真正的有所收益，對日後從容應對飯局宴會有所助益。

目錄

第三章 別出心裁的宴請，方可事半功倍

第四章 既要投其所好，也要知其所忌

第五章 菜是飯局之主，豈可亂點

第六章 中國式飯局，禮儀之邦的最佳詮釋

第七章 儀表是門面，做好飯局上的主角

第八章 細節決定成敗，進餐時注意細節

第九章 完美謝幕，賓主盡歡

第十章 八面玲瓏，在觥籌交錯間巧妙周旋

第十一章 閱人如閱書，巧妙應對難應酬的人

第十二章 和國際接軌，駕輕就熟吃西餐

第十三章 部分國家餐飲禮儀小常識

附錄 你不可不知的各地美食行情

第一章

飯桌可以改變歷史，筷子也可以塗改史書

人們常說：「革命不是請客吃飯。」的確，革命和吃飯有天壤之別，然而，在特定的中國文化中，革命和吃飯卻有著千絲萬縷的關係。中國歷史上，飯局之中、推杯換盞間改變歷史的車輪不足為怪。那些酒席之上的智慧，也是中國歷史長河裡美妙的風景。

晏子——二桃殺三士

飯局上勿逞一時之勇，適時讓步才是俊傑。

請客吃飯，本來是廣交朋友、溝通情感的載體，但是，在那些言談間翻雲覆雨的政治家手中，飯局則成為他們施展才華的政治舞台，於是，飯局就真的變成了一個個精心設計的「局」，稍微不慎，入局之人便陷入其中，無法自拔。

早在春秋時期，齊相晏子便在飯局宴會之上伺機使巧，兵不血刃，不費吹灰之力，終以二桃殺死三個力可拔山的勇士，消除了讓人擔憂的政治隱患。

在家族和大臣火拚中長大的齊景公，一直夢想著能光復齊桓公時候的霸業，正是由於有這種政治抱負，早年的景公非常勤政，善於納諫，關心臣民，並拜晏嬰為齊國的丞相，齊國的國勢漸漸恢復。振興國家是一條相當漫長的道路，時間一長，齊景公就變得有點好高騖遠起來，熬不住的他想蓄養一批勇士來建立自己的軍事力量。田開疆、公孫接和古冶子便是齊景公蓄養的勇士，號稱「齊國三傑」。

這三個人非常的勇猛，有和老虎搏鬥的力量，他們都為齊國立有很大的功勞，深受齊景公的寵愛。但後來他們恃寵自傲，為所欲為，甚至連晏子也不放在眼裡。

就在這個時候，曾經聯合國內幾家大貴族，打敗了掌握實權的欒氏和高氏的齊國田氏勢力越來越大，對國君的統治有很大的威脅。而田開疆正屬於田氏一族，晏嬰很擔心「三傑」為田氏效力，是很大的政治隱患。於是對齊景公說：「我聽說，賢能的君王蓄養的勇士，對內可以禁止暴亂，對外可以威懾敵人，上面讚揚他們的功勞，下面佩服他們的勇氣，所以使他們有尊貴的地位，優厚的奉祿。而現在君王所蓄養的勇士，對上沒有君臣之禮，對下也不講究長幼之倫，對內不能禁止暴亂，對外不能威懾敵人，這些是禍國殃民的人，不如趕快除掉他們。」景公說：「這三個人武藝高強，要擒擒不了，要刺刺不中，怎麼辦才好呢？」得到景公的默許，晏子決定伺機除掉這三個人。

這天，齊景公設宴款待來齊國訪問的魯昭公，叔孫蠟為魯國執掌禮儀，齊國則由晏嬰執禮儀，君臣四人坐在堂上，態度十分傲慢的「三傑」佩劍站在堂下。這時一個計謀在晏嬰心中醞釀而成，晏嬰終於等到了除掉他們的機會，原本祥和的宴會暗藏殺機。

當宴會進行到一半之時，晏嬰見時機已到，對酒至半酣的齊景公說道：「果園裡的金桃已經成熟了，摘幾個請二位國君嘗嘗鮮吧？」齊景公聽了非常高興，於是下令讓人去摘。晏嬰卻說：「這些金桃都是奇珍異品，非常難得，還是由我親自去摘采好。」齊景公點頭應允。

片刻之後，晏嬰端著六個碩大新鮮、桃紅似火、香氣撲鼻、令人垂涎的桃子回來了。齊景公問：「只有這麼幾個桃子嗎？」晏嬰回答說：「有的還沒有成熟，所以只摘了這六個。」說完恭恭敬敬地獻給魯昭公和齊景公。二位君主一人拿了一個金桃，邊吃邊誇獎桃味香甜。齊景公說：「如此甘美的桃子實在難得，叔孫大夫天下聞名，理所應當吃一個。」叔孫蠟謙讓著說：「晏相國對內可以修正國政，對外可以令諸侯折服，功勞最大，我哪裡能趕得上呢？這個桃按道理應該由他吃。」晏子也急忙謙讓，齊景公見他們兩個人爭執不下，便說：「二位都勞苦功高，又如此謙讓，那就兩人都喝一杯酒，吃一個桃吧！」於是二人謝過齊景公，喝了酒，吃了桃。

這時，玉盤之中還有兩個桃子，晏嬰說道：「請君王傳出聖令給所有臣子，誰的功勞大，誰就吃桃，怎麼樣呢？」齊景公明白了晏嬰的目的，於是依計行事傳令下去。

三個勇士只賜兩個桃子，故意少一個。桃子不夠必然會引起紛爭，因此讓他們論功勞的大小吃桃，意味著功勞大的人能夠吃到桃子，功勞小的就得不到了。於是，三個勇士都各自說著自己的功勞，都自認為自己的功勞無以倫比。

公孫接首先說道：「我曾有一次空手擊殺一隻大野豬，一次徒手打死一隻母老虎，像我這樣的功勞，完全可以獨吃一粒桃子了。」說完拿過桃子站了起來。

田開疆說：「我手持武器曾兩次打敗敵人三軍，像我這樣的功勞，也可以獨吃一粒桃子。」說完也拿過桃子站了起來。

古冶子見狀，厲聲喝道：「你們的功勞有什麼稀奇！當年我送國君過黃河時，一隻大黿與風作浪，咬住了國君的馬腿，一下子把馬拖到急流中去了。是我跳進洶湧的河中，捨命殺死了大黿，保住了國君的性命。像這樣的功勞，該不該吃個桃子？」

齊景公說：「當時黃河波濤洶湧，要不是將軍斬黿除怪，我的命早就沒了。這是蓋世奇功，按理應該吃桃。」

公孫接、田開疆一起說道：「我們的功勞不及您，拿走桃子而不謙讓，這是貪心；既然這樣而又不敢一死，這是沒有勇氣。」二人都還回手中的桃子，自刎而死。古冶子說：「二位都死了，我獨自活著，這是不仁；拿話羞辱別人，而誇耀自己的功勞，這是不義，行為違背了仁義，不死，就是怕死鬼。」說完也把桃子交了回來，自刎而死。

魯昭公目睹此景，無限惋惜，半天才站起身來說道：「我聽說這三位將軍都有萬夫不當之勇，可惜為了一個桃子都死了。」齊景公長歎了一聲，沉默不語。這時，晏嬰不慌不忙地說：「他們都是有勇無謀的匹夫。智勇雙全、有將相之才的人，我國就有數十人，這樣的武夫莽漢，那就更多了。少幾個他們這樣的人也沒什麼了不起，各位不必介意，請繼續飲酒吧！」

這就是二桃殺三士的故事，後來，景公按武士的葬禮安葬了他們，葬於都城南，墓稱「三士塚」。可謂知己知彼百戰百勝，晏嬰熟知三士的性格，料到二桃賞賜三勇士，他們必然不會遵照齊景公之命，「計功而食桃」，而是「無長幼之禮」，炫耀自己的功勞去搶桃子。

勇士相爭，絕對是刀劍相見。不出晏嬰所料，田開疆和公孫接都爭先恐後拿起了桃子，都自以為武功蓋世，沒有人可以與自己爭鋒；古冶子也自以為其勇猛超過田開疆和公孫接，但是桃已被他們搶佔，於是拔劍而起，要求他們交出二桃。看來紛爭已起，解決問題的方式或以刀兵相見，殺個你死我活，或交出桃接受別人的污辱，而士可殺不可辱，受辱是勇士最大的忌諱，如此必然以死免辱。因為侮辱了別人而置人於死地，那麼這個人就會被人認為是不仁不義之人，一個人如果被人認為不仁不義，則是一個勇士最不能忍受的，遠勝於受辱，那麼，侮辱別人的人又有什麼臉面活在世上呢？可以說，不管用哪種方式解決，三勇士都難免一死。

諸葛亮在《梁父吟》中詩曰：「步出齊城門，遙望蕩陰里，里中有三墳，累累正相似。問是誰家塚，田疆古冶子，力能排南山，文能絕地理，一朝被讒言，二桃殺三士。誰能為此謀，相國齊晏子。」在這個宴會之上，微不足道的桃子，被賦予了無尚榮耀的象徵。二桃為三士所分，以最小的代價，造成不平等，使得兩粒桃子由繞指柔化為百煉鋼，五步之內，足以奪人性命，也就不足為奇了。

飯局制勝攻略

面對飯局上的風雲變幻，進退之法，是許多成大事者心知肚明的行動。善於退讓，一可以保住自己，二則為自己留住了機會。讓步並不是懦弱的表現，它是為了獲得更大的進步。所以，切記不要逞一時之勇，先亂陣腳。

將

藺相如——澠池會上屈秦王

飯局不論面對誰，都要不卑不亢，才能贏得尊重。

燕趙之地自古以來都是孕育英雄的土地，史書中的記載綿延不絕，街談巷議的話題滿懷豪情，古都邯鄲和易水河畔人們千古傳唱的是怎樣的精神？「士慕原陵猶俠氣，人來燕趙易悲歌。」「信陵君竊符救趙」是大家耳熟能詳的故事，雖然這樣的做法在今天看來很難理解，可在當時的戰國時代，卻展現了男兒的俠義本色，為世風所尚；「風蕭蕭兮易水寒，壯士一去兮不復還！」這是燕趙慷慨激昂的悲歌，圖窮匕現，事敗身死，「荊軻刺秦」是傳說中最為悲壯的英雄形象。然而，在這些戰國群英中，最令人仰慕的還是趙國上卿藺相如。

「完璧歸趙」「負荊請罪」，是我們耳熟能詳的成語，它們所講的就是藺相如的大智大勇，然而，這兩個故事遠不能概括藺相如的俠肝義膽和超人的智慧，最為著名的還是「澠池相會」。「澠池相會」也可謂是一個不知前途命運如何的「鴻門宴」，要想在這個各懷心思的飯局中不輸分毫，非大智大勇不可辦到，且看藺相如在這個飯局上是如何和秦王鬥智鬥勇的。

秦昭襄王一心要使趙國屈服，西元前二八二年，派大將白起攻取了趙國的藺和祁兩個地方。然後接連侵入趙國邊境，占了一些地方，兩國交戰，趙國雖然損失了很多軍隊，但是秦國的攻勢也被遏止了。

西元前二七九年，為了集中兵力攻擊楚國，秦昭襄王便想出了和趙國講和的花招，於是請趙惠文王在澠池相會，共商兩國修好的大事，趙王不解其用意，於是打算不赴此約。廉頗、藺相如勸趙王說：「大王要是不去，表示趙國軟弱而且畏怯。」趙王只好硬著頭皮去冒險赴會，並讓藺相如跟隨他一起去。為了防備秦王又演扣留懷王的那出戲，趙惠文王又派大將李牧帶兵五千人護送，相國平原君帶兵幾萬人，在邊境接應。

到了預定會見的日期，秦王和趙王在澠池相會，並且舉行了宴會，高興地喝酒談天。

秦昭襄王喝了幾盅酒，帶著醉意對趙惠文王說：「聽說趙王彈得一手好瑟。請趙王彈個曲兒，給大夥兒助助興吧！」說罷，真的吩咐左右把瑟拿上來。趙王不敢推辭，只好彈了一曲。這時，秦國的御史走了過來，在簡上寫到：某年某月某日，秦王和趙王在澠池宴會，秦王命趙王鼓瑟。

趙惠文王氣得臉都發紫了，正在這時候，藺相如拿了一個缶，突然跪到秦昭襄王跟前，說：「趙王聽說秦王擅長擊缶，我這裡有個缶，請你敲敲缶讓大家高興高興。」秦王聽了勃然大怒，不肯答應。藺相如又端起缶走過去，獻給秦王，秦王還是不肯敲。藺相如的眼睛射出憤怒的光，說：「大王未免太欺負人了。秦國的兵力雖然強大，可是在這五步之內，我可以把我的血濺到大王身上去！」秦昭襄王見藺相如這股勢頭，十分吃驚，只好拿起擊棒在缶上胡亂敲了幾下。藺相如回頭叫來趙國的御史，也把這件事情記下來：某年某月某日，趙王和秦王在澠池宴會，趙王命秦王敲缶助興。

秦國的大臣們見秦王沒有佔便宜，就說：「請趙王獻出十五座城地為秦王祝壽！」藺相如也不示弱，說：「請秦王拿咸陽為趙王祝福！」

秦昭襄王眼看這個局面十分緊張。他事先已探知趙國派大軍駐紮在臨近地方，真的動起武來，恐怕也得不到便宜，就喝住秦國大臣，說：「今天是兩國君王歡會的日子，諸位不必多說。」

一直到酒筵結束，藺相如為了維護國家的尊嚴，機智勇敢地同秦國君臣進行了針鋒相對、不屈不撓的鬥爭，挫敗了秦國的圖謀。這樣，兩國澠池之會總算圓滿而散。以後，秦、趙間暫時停止了戰爭。

這個飯局是秦王所設，表面上雖說是為了和趙國停戰修好，實際上是為了在飯局之上侮辱趙王，以達到震懾趙國的目的，從此讓趙國臣服在自己的腳下。而趙王進飯局，也是為了不甘示弱，於是兩者之間的衝突就凸顯出來了，在看似祥和的飯局中卻關係著兩國的國體和尊嚴，應付不當將會載入史冊，成為千年笑柄。

藺相如憑著他的俠義精神，在飯局中進退自如，不卑不亢地應對趾高氣昂的秦王，為國家爭得了地位，維護了尊嚴。所以，「不卑不亢」的態度是國際禮儀不變的定律！這就告訴我們不管赴什麼樣的局，面對的是什麼樣的人，作為一個有尊嚴的人，首先要自己看得起自己，才能站得直，坐得挺，才能獲得別人的尊重。

飯局制勝攻略

當面對實力比你強的人之時，不能被對方的氣勢所懾，你要相信再強的人也有他的弱點和顧忌，鎮定自若，不卑不亢地應對對方。看到你兵來將擋水來土掩的氣勢，其陣自亂。

呂不韋——杯酒間奇貨可居

利用飯局抓住你的人脈線，將一輩子受用無窮。

作為一個商人，呂不韋取得了巨大的成功，但那個時候，商人的地位是很低的，家境殷實並不能提高他的社會地位，也不能消除他沒有政治影響力的尷尬境地。作為一個在骨子裡懷有遠大抱負，有政治野心的商人，呂不韋始於商人，但絕不會止於商人，他渴望獲得更多利益和更高的地位，而異人的出現讓他找到了尋求更高發展的機會，他以商人獨特的眼光發現了這個改變命運的契機，將這個「奇貨」收在自己之手。因此，一場特意安排的酒席，讓兩個人的命運都因此發生改變。

呂不韋是陽翟極富商業頭腦的大商人，在來來往往的買賣中，積累了不少財產。這天，他又在邯鄲街頭行走，尋找商機，忽然對面走來一個人引起了他的注意。只見那個人衣著並不考究，但是掩蓋不了他的貴人之氣，呂不韋暗自吃驚，待那人走後，他多方打聽，終於知道了此人的來歷。

這個人就是秦昭襄王之子安國君的兒子，名叫異人，是秦國留在趙國的人質。由於異人之母並不受寵，異人在秦國的地位也不是很高，所以，儘管他在趙國為人質，秦國的決策者們照樣肆無忌憚地攻打趙國，使異人在趙國的處境很不妙。知道了事情的來龍去脈之後，呂不韋大笑道：「他真是奇貨。這奇貨可以先囤積起來，然後做一筆大生意，哈哈！」

呂不韋認為異人是自己最大的商機，於是他先以重金結交監守異人的公孫乾，然後認識了異人。有一次，呂不韋宴請公孫乾和異人，酒過三巡，公孫乾去上廁所，呂不韋趁機說道：「我能改善您的處境。」異人還以為呂不韋是在和自己開玩笑，就反脣相譏說：「你還是先改善自己的處境吧！」呂不韋認真地說：「我的處境改善，要仰仗公子處境的改善。」異人見呂不韋態度很認真，不像是在拿自己尋開心，於是讓呂不韋詳說他的計策。

呂不韋不慌不忙地喝了一口茶水，然後慢慢地說：「您的處境很不妙！秦王已經老了，一旦他有個三長兩短，太子安國君將繼承王位。安國君寵愛的是華陽夫人，可是她沒有兒子，安國君有二十多個兒子，至今無人得寵，您如果能設法討得她的喜歡，並被她收為過繼之子，情況就不一樣了。」異人含淚回道：「我何嘗不希望如此呢，怎奈身在他國，恨沒有脫身之計啊！」呂不韋說：「我為你疏通關係，保證設法救你回國。」異人此時對呂不韋的感激確實已經五體投地了，連忙稱謝說：「如果真能像先生說的那樣，我將來願意分一半國土奉送給您！」

告別異人之後，呂不韋帶上貴重的禮品去秦國求見華陽夫人的弟弟陽泉君，並說自己是受異人之托，拜請陽泉君把一些稀世珍寶轉獻華陽夫人的。然後在宴席之上，說動陽泉君進宮勸說華陽夫人，經過多方周旋，終於讓異人回到了秦國，並如願成為華陽夫人的養子，進一步得到了安國君的寵愛。不久，秦昭襄王逝世，安國君即位為秦孝文王，華陽夫人為王后，異人被立為太子。安國君即位僅一年就離開人世，異人繼位為秦莊襄王。異人一當上秦王，便讓呂不韋做了丞相，封號文信侯，還得到了藍田十二縣作為領地。再後來，異人逝世，立政為王，政尊呂不韋為相國，號稱仲父。

事實證明了呂不韋的遠見卓識，通過這筆「奇貨」的生意，呂不韋在杯酒之間集商賈之大成，得到了執掌秦國多年的大利。呂不韋設飯局就是為了拓展自己的人際關係，以便達到自己的目的，對他而言，飯局就是一個框，幫他框住上流社會的一干人等，也幫他框住了光明的人生前景，助他登上權力高峰。

在中國的歷史上，呂不韋算得上商而優則仕的最佳典範，奇貨可居也自然成為了商賈於杯酒之間成就大業的傳奇。

飯局制勝攻略

在飯局之上，更多的時候我們需要保持交往的平等性。在互惠互利的原則下更加容易讓別人信任你，最後達成共識。

將 劉邦——鴻門宴中巧出局

宴會中的機智反應相當重要，一不小心會使自己陷入圈套。

在人際交往中，飯局有時不是單純的飯局，而是有著錯綜複雜的關係網和利益鏈，鴻門宴是將飯局之妙做足的經典大局。

鴻門宴是一場意義不單純的飯局，其中充斥在賓與客之間的不是愉悅歡快的氣氛，而是急迫緊張、一觸即發的殺意。作為鴻門宴的兩位主角——項羽與劉邦，他們為爭奪關中地區的統治權，在鴻門宴這一場飯局之上進行了面對面的交鋒。在此飯局中，有觥籌交錯，亦有刀光劍影，氣氛詭譎，殺機四伏，每一個與宴者都緊繃著神經。

秦朝末年，天下紛亂，各派軍閥為了自己的利益相互混戰，楚懷王陣營的兩員將領——劉邦與項羽各自攻打秦朝的部隊，儘管劉邦的兵力不及項羽，但他先破了咸陽，項羽為此憤怒不已，派英布擊函谷關，項羽進駐咸陽後，到達戲水西岸，而劉邦在霸上駐軍。劉邦的左司馬曹無傷派人在項羽面前說劉邦打算在關中稱王，項羽聽後更加憤怒，下令第二天一早讓兵士飽餐一頓，一鼓作氣打敗劉邦的軍隊，一場惡戰在即。這時，劉邦從項羽的叔父項伯口中得知此事後，心中詫異不已，於是他恭恭敬敬地給項伯捧上一杯酒，並與項伯定為兒女親家。劉邦利用感情攻勢，很快收買了項伯，項伯答應為他在項羽面前說好話，並讓劉邦第二天前來謝項羽。

項羽的亞父范增，一向認為留著劉邦是養虎為患，所以主張殺劉邦。他為項羽出主意說：「等劉邦入宴，大王就問他：『寡人封你到南鄭去，你願不願意去？』如果他說願意去，你就說他意圖養精蓄銳，有謀反之心，可以綁出去殺掉；如果他說不願意去，你以其違抗王命殺掉他。」

劉邦入宴後，項羽一拍案桌，高聲問道：「劉邦，寡人封你到南鄭去，你願不願意去？」劉邦答道：「臣食君祿，命懸於君。臣如陛下坐騎，鞭之則行，收轡則止。臣惟命是聽。」項羽聽劉邦如此之答，無可奈何，只好說：「劉邦，你要聽寡人的，南鄭你就不要去了。」劉邦恭敬地回答說：「臣遵旨。」宴會繼續，劉邦戰戰兢兢，生怕出錯。這場鴻門宴上，雖然美酒佳餚無數，卻暗藏殺機，雙方之間的矛盾一觸即發。范增見此計不成，於是示意項羽發令殺掉劉邦，但項羽猶豫不決，默然不應，遲遲沒有下令。范增召項莊舞劍為酒宴助興，想趁機殺掉劉邦。可項伯為了保護劉邦，也拔劍起舞，掩護了劉邦。就在這危急的關頭，劉邦的部下樊噲帶劍擁盾闖入軍帳，怒目直視項羽。項羽見此人氣度不凡，只好問來者是誰，當得知樊噲是劉邦的參軍時，立即命手下賜酒，樊噲一口氣就喝完了，項羽又命人賜豬腿後，接著問樊噲：「你還能喝嗎？」樊噲說：「我都不怕死了，還怕喝酒嗎？」樊噲還乘機說了很多劉邦的好話，並且提到當年劉邦和項羽的兄弟情義，項羽聽後無言以對，劉邦便假借尿意遁逃了。劉邦逃走後，派部下張良為自己推託，說「沛公不勝酒力，無法前來道別，現向大王獻上白璧一雙，並向大將軍范增獻上玉杯一雙，請您收下。」項羽收下了白璧，而范增則拔劍將玉杯砍碎了。

「項莊舞劍，意在沛公。」為了這場飯局，不但雙方的謀臣智士殫精竭慮、苦心經營，而且兩位當事者更是赤膊上陣，搭上了各自的「政治前途」乃至身家性命。劉邦巧妙回答項羽的兩難問題，進而讓項羽找不到一個殺自己的藉口，也為自己日後的勝利創造了機會。整個過程三起三落，驚心動魄，極具傳奇色彩。然而鴻門宴的最終結局是設局人做了局，入局者入局後又得以脫身，讓設局者竹籃打水一場空。

成王敗寇，政治博弈向來兇險無比，再美妙的歌舞、再美味的佳餚也不過是假象而已。項羽設下的鴻門宴原本就是個幌子，不過是試探劉邦是否想稱王的藉口罷了。劉邦明知項羽意在為何，依舊如約而至，就是不想與其撕破臉，畢竟雙方實力懸殊。原想在宴中示弱以打消項羽的懷疑，不料項羽殺意已起，所以劉邦找藉口逃掉。

假設鴻門宴上項羽意志堅定，必殺劉邦，那麼無論項羽能否奪得天下大權，都不會有後來劉邦建立的大漢王朝，而中國的歷史勢必會改變。然而，假設畢竟是假設，項羽的優柔寡斷令他錯失了殺劉邦的大好時機，並最終導致了他的「烏江自刎」。

實力雄厚的西楚霸王兵敗自殺，劉邦坐擁天下，一切的變數皆由鴻門宴而始，一頓看似平常的請客吃飯竟暗藏著無限玄機，生出驚天動地的變故來，令人不得不感慨萬千。

飯局制勝攻略

除了在赴宴之前未雨綢繆做足準備工作之外，在宴會上也要機警聰明，反應敏捷。面對對方的兩難問題，切忌反唇相譏，否則不但有失風度，還有可能在非「左」即「右」的選擇中落入對方的圈套。

曹操——青梅煮酒論英雄

面對不利於自己的環境，適時隱藏才能，保全自己。

我國著名歷史小說《三國演義》第二十一回中講述了「青梅煮酒論英雄」這樣一則故事。曹操和劉備兩人在這個只有他們兩人的酒席之上，進行了一次關乎生死存亡的對話。在「誰是英雄」這個話題中，兩人一問一答，曹操試探劉備是否有稱雄之心，同時要劉備親口承認自己是英雄，而劉備機智過人，深知韜光養晦之要，既顯示自己不知，又不斷提及其他人物，心裡不斷思索如何應對曹操，可謂是如履薄冰。

東漢末，曹操挾天子以令諸侯，勢力大；劉備雖為皇叔，卻勢單力薄，為防曹操謀害，不得不在住處後園種菜，親自澆灌，以為韜晦之計。關雲長和張飛蒙在鼓中，說劉備不留心天下大事，卻學小人之事。

一天，劉備正在澆菜，曹操派人請劉備，劉備只得膽戰心驚地一同前往入府見曹操。曹操不動聲色地對劉備說：「在家做得大好事！」說者有意，聽者更有心，這句話將劉備嚇得面如土色，曹操又轉口說，你學種菜，不容易。這才使劉備稍稍放心下來。曹操說：「剛才看見園內枝頭上的梅子青青的，忽然想起去年去征討張繡時，道上缺水，將士們都口渴；我心生一計，用鞭虛指說：『前面有梅林。』軍士聽了這句話，嘴裡都生出唾沫，才不渴。今天見此梅，覺得不可不賞，恰逢煮酒正熟，故邀你到小亭一會。」劉備聽後心神方定。隨曹操來到小亭，只見已經擺好了各種酒器，盤內放置了青梅，於是就將青梅放在酒樽中煮起酒來了，二人對坐，開懷暢飲。酒至半酣，突然烏雲密佈，大雨將至，隨從遙指天外的龍掛，曹操與劉備憑欄觀之。曹操說：「你知道龍的變化嗎？」劉備回答說：「我不知道，願聞其詳。」曹操說：「龍能大能小，能升能隱；大則興雲吐霧，小則隱介藏形；升則飛騰於宇宙之間，隱則潛伏於波濤之內。方今春深，龍乘時變化，猶人得志而縱橫四海。龍之為物，可比世之英雄。玄德經常在外遊歷，一定知道當世的英雄。請你說說當世英雄是誰？」劉備裝作胸無大志的樣子，說了幾個人，都被曹操否定。

曹操此時正想刺探劉備的內心，看他是否想稱雄於世，於是說：「夫英雄者，胸懷大志，腹有良謀，有包藏宇宙之機，吞吐天下之志者也。」劉備問，誰能當英雄呢？曹操單刀直入地說：「當今天下英雄，只有你和我兩個！」劉備一聽，大吃一驚，手中拿的筷子，也不知不覺地掉在地上。正巧突然下大雨，雷聲大作，劉備靈機一動，從容地低下身拾起筷子，說是因為害怕打雷，才掉了筷子。曹操此時才放心地說：「大丈夫也怕雷嗎？」劉備說，連聖人對迅雷烈風也會失態，我還能不怕嗎？劉備經過這樣的掩飾，使曹操認為自己是個胸無大志，膽小如鼠的庸人，曹操從此再也不疑劉備了。

不管在這次酒局中曹操是怎麼盤算的，總之，劉備算是躲過了一劫。令曹操萬萬沒有想到的是，青梅煮酒八年之後，劉備終於用三顧茅廬的真誠，打動了在隆中隱居的諸葛亮，諸葛亮出山以後成為了他的軍師。這一下子劉備就鹹魚翻身了，因為諸葛亮的幫助劉備取得了用武之

地，劉備不但有了自己的地盤，而且這個地盤還越坐越大，最後和曹操、孫權形成了三國鼎足而立的局面。

從這次飯局中我們看出劉備是個出色的演員，在曹操一句「天下英雄，唯使君與操耳」下「手中所執匙箸，不覺落於地下」，當時打雷，他故意裝作害怕把手裡的筷子扔掉，他想使曹操以為他害怕打雷，是一個不能成大氣候的人，把他放走，可見他是一個心思縝密，機智聰明的人物，把英明一世的曹操給瞞騙過去了。

青梅煮酒論英雄的結果是劉備隨機應變，心如電閃，巧妙地應付了曹操的試探，略贏一招後趁機開溜。最後劉備才有機會在赤壁之戰中聯合孫權大敗曹操，打破了行將大一統的局面，開創了一個新的時代——三國鼎立。

飯局制勝攻略

面對不利於自己的環境，我們要懂得韜光養晦，這樣才能保全自己，這並不是苟且偷生，失去剛強的個性，有時候控制住剛強直率的性格與對手周旋，是鬥爭中的良策；相反的，我們若不知迂迴以硬碰硬，則會讓自己吃大虧。這樣做，無論從哪個方面來講都是不明智的。

將 汪倫——桃花美酒結詩仙

以酒會友，輕鬆自在最重要，別太過嚴肅。

「一個籬笆三個樁，一個好漢三個幫。」人在俗世，不能沒有朋友。在現代快節奏的生活下，每個人都很忙碌，這樣將使得朋友間見面的機會減少了，要想進一步地維繫友情就很困難！平時感情再深厚的朋友，一忙起來就容易忘記，一段時間不聯繫，慢慢地就淡成了白開水。

友情需要精心經營，才會更加牢固，而維繫朋友關係最簡單最實際的方法就是找個地方，大夥兒湊在一起吃吃喝喝，酒酣耳熱的時候也是推心置腹的最好時機。所以，熱熱鬧鬧的朋友聚會是現代人調節生活不可少的潤滑劑，也是讓感情重新升溫的最佳場所。其實，用酒結交朋友，聯絡感情並不是現代人的專利，它自古以來就是人們的一種社交方式，唐朝開元年間的汪倫就用桃花美酒結識了讓他仰慕已久的詩仙李白。

李白是唐朝非常著名的詩人，人稱「詩仙」。涇縣令汪倫卸任後居涇縣桃花潭畔，他非常欣賞李白的才華，很想請李白去自己的家鄉玩，向李白學習，可他又怕被拒絕，於是給李白寫了一封信：「先生好遊乎，此地有十里桃花；先生好飲乎，此地有萬家酒店。」李白素好飲酒，又聞有如此美景，欣然應邀。可到了那裡一看，沒有信上所說的盛景，只有一個清澈見底的水潭，潭邊有家酒店，根本沒有十里桃花、萬家酒店。李白有些生氣，就問汪倫：「汪倫，你說這裡有十里桃花，我怎麼沒看見呢？」

汪倫指著水潭和酒店不慌不忙地說：「這個潭叫桃花潭，有十里長，所以叫十里桃花。這家酒店的老闆姓萬，所以就叫萬家酒店。」李白聽後不禁哈哈大笑，並不以為被愚弄，反而被汪倫的盛情所感動，兩人就在這家酒店裡把酒言歡。

適逢春風桃李花開日，群山無處不飛紅，加之潭水深碧，清澈晶瑩，翠巒倒映，汪倫留李白連住數日，每日以美酒相待，別時送名馬八匹、官錦十緞。

離別時，兩個人依依不捨，李白乘著船正準備離開的時候，忽然聽到汪倫唱著歌為他送行。李白聽後，也非常感動，於是寫了一首有名的詩——《贈汪倫》送給他。

唐代是中國詩歌繁盛的年代，詩人多，嗜酒者也多。李白就是這其中的一個。汪倫欣賞李白的才華，有意結交李白卻又擔心被拒絕，所以以酒將李白「騙」了去。儘管後來李白知道自己被「騙」了，但他感受到了汪倫對他的深厚情誼。兩人喝著酒，暢談一番。酒後離去之時，汪倫以歌相送，李白感動不已，兩人的友情自此得到了昇華。

喜歡喝酒的人總能夠聚到一起喝一杯。人與人之間，以酒相繫，自是酒厚情濃，酒便成了維繫友情的媒介。其實，以酒會友與以文會友、以棋會友並無大的差別，「酒逢知己飲，詩向會人吟」，共同的愛好就是構築友誼的基礎。酒友也是朋友的一種，其與牌友、戲友、球友，甚至學友、戰友也差不多，只不過他們的友誼媒介是酒而已。

對酒的褒貶譽毀也牽扯到了以此為載體的友情，有「酒肉朋友」等不怎麼好聽的詞為證，還有「酒色之徒」、「酒囊飯袋」等。其實這不該怪酒，而要怪人自己。

誰能否認酒友之間存在的真摯感情？「五花馬，千金裘，呼兒將出換美酒，與爾同銷萬古愁」，這是一種怎樣深情厚誼的境界？老舍說「貧未虧心眉不鎖，錢多買酒友相親」，「有客同心當骨肉，無錢買酒賣文章」，雖然貧苦依然賣文貰酒待客，這著實令人肅然起敬。

如果不是這酒，如果不是汪倫聰明的邀請方式，中國的詩篇裡也許就沒有《贈汪倫》這首膾炙人口的篇章，人們的茶餘飯後也就沒有了汪倫桃花美酒結詩仙的千古美談了。由此可見，酒確實是維繫友情的橋樑。

飯局制勝攻略

朋友間，男人都是兄弟，女人都是姐妹，分擔風雨，共用陽光。朋友聚餐是朋友間聯絡感情的一種方式，有的時候就不要太過較真，在輕鬆愉快的氛圍之下，開心最為重要，這樣，就可以成就一次圓滿而成功的宴請。

趙匡胤——杯酒釋兵權

飯局上無心的人只專注喝酒，有心的人專注成事。

宴請，有時會是一場利益的角逐，在飯局上，單刀直入地求人辦事往往會遇到一些令人不滿意的情況，比如對方對你的難處視而不見、充耳不聞，或者故意刁難等，以提升自己的優越感。又比如對方正在氣頭上，如果你直接開口，說不定還會火上澆油，所以你必須學會委婉的表達方法，旁敲側擊；這樣既不會得罪對方，又可能獲得意料不到的效果。

其實，一般人都存在順承心理和斥異心理，對那些合自己心意的容易接受，而對那些不合自己心意的相對排斥。因此，在求人辦事的時候，你一定要懂得旁敲側擊，巧言遊說，進而提高成功的可能性。「秦皇漢武，唐宗宋祖」中的趙匡胤就用這個方法「杯酒釋兵權」，從此讓自己高枕無憂。

宋太祖趙匡胤當上皇帝後，不斷有節度使起來反叛，雖然都被趙匡胤鎮壓平定了，但消耗了大量的人力物力。國家局勢的不穩定，這讓趙匡胤終日悶悶不樂。一次，趙匡胤對宰相趙普說出了這個心事。趙普說：「國家混亂，政權不穩定，原因在於藩鎮權力太大。如果把兵權集中到朝廷，天下自然太平無事。」接著趙普指出禁軍將領石守信等所握兵權太大，又沒有統帥才能。趙匡胤聽了，心中便有了主意。

建隆二年（西元九六一年）七月，趙匡胤趁晚朝的時候，請石守信等幾個兵權在握的老將喝酒。酒喝到最暢快的時候，趙匡胤開口道：「要不是你們大力相助，我絕不會有今天。但我做了天子，總覺得遠不如做節度使時快樂，從來就沒睡過一天的安穩覺！」石守信等人不解地問道：「今天命已定，誰復敢有異心，陛下何出此言耶？」趙匡胤說：「人誰不想富貴？一旦有人讓黃袍加諸你們之身，你們能不做皇帝嗎？」石守信等人謝罪說：「我們太愚笨了，連這個都不曾想到，希望陛下可憐可憐我們，給我們指條路。」趙匡胤說：「人生在世，好像駿馬過隙一樣快，你們不如多積聚些金銀，多購置些田產房屋留給子孫。快快活活度過晚年。君臣之間，無所猜嫌，不是很好嗎？」石守信等人雖心中極為不滿，但表面也只得感激地說：「陛下替我們想得太周到了！」

第二日，石守信等人都托言有病，乞求解除兵權，宋太祖一一恩准，並讓他們以散官的身分回家養老，給他們的賞賜也特別優厚。不久，太祖以同樣的方法罷免了各藩鎮的節度使。至此，禁軍與藩鎮的兵權都集中到了趙匡胤手裡。

這次飯局看似簡單，實則影響深遠。自朱溫篡唐後，皇朝變更如同走馬燈，一個朝代的變更就像翻書一樣容易，這種狀況多數都是由於手握重兵的武將所致。趙匡胤的這一招何等高明，在飯局之上，杯酒之間，巧妙地解決了這一難題。他既保住了自己的既得利益，又讓別人無法效仿他，無法威脅他，為宋王朝的三百年江山奠定了基礎。

酒能成事，也能敗事。無心的人只知道喝酒，往往敗事；而對有心人來說，酒能成事。宋太祖趙匡胤用心良苦，借宴請大臣的機會，收繳了他們的兵權，鞏固了宋王朝的中央集權，開啟了中國封建社會專制主義中央集權政治的先河。趙匡胤對宋代歷史發展有著深遠的影響，而「杯酒釋兵權」也成為歷史佳話。

而你若想在酒桌上成事，首先，要明白在酒桌上進行利益角逐必須做好全面的準備；其次，要講究合作，三個臭皮匠，賽過諸葛亮，在飯局上結成同盟，獲利的機率會更高；再次，要追求共贏，不能過於貪心，不能一味追求己方勝出，而毫不顧及對方的利益，為了更長遠的利益，可以適當放棄眼前利益。

飯局制勝攻略

在飯局上求人辦事的時候，如果採取正面措施不容易達到目的，那麼就嘗試著採用旁敲側擊的方法，降低對方的心理防線，這樣就能較容易地辦成事。

將

朱元璋——火燒慶功樓

搞清楚自己在飯局中的角色，稍有差池，將帶來危害。

當我們拖著疲憊不堪的身體在各大飯店赴宴的時候，你是否清楚自己赴宴的目的，抑或是別人邀你入宴的緣由？幾個人在飯桌上一坐，褪下了古板的西裝，解開了拘謹的領帶，這種貌似毫無勢利感的場面最讓人放鬆。沒有了談判時候的劍拔弩張和硝煙彌漫，最家常的氣氛最容易使人放鬆戒備。當然，有些人也就趁著這種氣氛謀得了平時可望而不可及的利益。

這飯局，如果「吃」得好，就會為你錦上添花，但是如果你稍有差池，輕則飯局不歡而散，重則落入別人的圈套，成為別人的棋子，還有可能在糊里糊塗中影響了自己的前途。所以，與其說我們赴的是飯局，還不如說我們赴的是「局」，身在「局」中，一定要搞清楚自己扮演的是什麼角色，即使身不由己，也要想辦法為自己尋找出路。千萬不要像朱元璋慶功樓裡圈住的功臣，臨死還不知道自己赴的竟是一個「死局」。

相傳，明太祖朱元璋做了皇帝以後，擔心那些當年與他一同打天下的兄弟們恃功奪權，於是建造了一座慶功樓。看到造功臣樓，凡是跟隨朱元璋南征北戰，打下江山的開國功臣，無不深受感動，稱讚太祖英明。只有軍師劉伯溫憂心忡忡地來到皇宮，見了朱元璋，懇求說：「如今王業已成，臣責已盡，但願辭官歸田。」朱元璋忙說：「軍師隨我辛苦半生，如今正當享福，為何就要歸隱？」劉伯溫說：「朝中政事勞神，臣年老力倦，只想過個清閒的晚年。」朱元璋再三挽留不得，便取出許多金銀送給劉伯溫，親自送出宮外。

劉伯溫出了皇宮，來到徐達府上，向他辭行。臨別，劉伯溫握著徐達的手說：「徐兄，小弟走了。有一句話望你牢牢記住：功臣樓慶宴之日，你要緊隨皇上，寸步不可離開。」徐達一時不明白，想問個究竟。劉伯溫說：「照此行事，日後便知。」

功臣樓建成了。這座樓，坐落在鼓樓崗的山坡上，樓身又寬又矮，看來很結實；窗戶又高又小，看來很安全。朱元璋擇定日子，邀請所有功臣前來赴宴。這一天，日頭剛落，功臣樓裡一片笙歌，燈燭輝煌。赴宴的功臣們互相恭喜、道賀，好不熱鬧。

徐達心裡記著劉伯溫的臨別贈言，哪有心思與眾人寒暄。他舉目望望樓頂，雕樑畫棟，縱橫相連；低頭看看地面，方石成格，平滑如鏡。忽然，他把耳朵緊貼牆壁，用手對牆敲了幾下，覺得聲音「咚咚」發嗡，他的臉「唰」的一下，白得像紙一樣。這時，只聽一聲喝道：「皇上駕到！」百官肅立，躬身行禮。朱元璋昂然走進大廳，笑容滿面，來到席前，忙叫免禮。眾人紛紛直起腰來。

酒宴大開，熱鬧非凡。徐達平日酒量不小，今天卻怎麼也不敢多喝，一直盯著朱元璋的一舉一動。酒正吃到興頭，朱元璋忽然站起身來，向門邊走去。徐達連忙隨後跟上。朱元璋發覺身後有人，回頭一看，見是徐達，便問：「丞相為何離席？」徐達說：「特來保駕。」朱元璋說：「不必不必，丞相請回。」徐達哀戚地說：「皇上真的一個也不留嗎？」朱元璋暗暗一驚，心想：「好精明的傢伙！我的機密已被他識破。」徐達見皇上不言語，又說：「皇上如果執意，臣不敢違命，懇望日後妻兒老母得以照拂。」說畢，轉身欲回。朱元璋忙說：「丞相隨我來。」

他倆剛走出幾百步，突然，「轟隆隆」一聲巨響，功臣樓瓦飛磚騰，火光沖天，可憐滿樓功臣，全部葬身火海。原來，朱元璋為了永保朱姓天下，才設下這火燒功臣樓的毒計。

這就是著名的「火燒慶功樓」，明太祖朱元璋借著大擺慶功宴的機會，趁所有人放鬆警惕之際火燒慶功樓，輕鬆除去了大多數開國元勳。僅憑一場飯局，朱元璋就除去了可能顛覆大明江山的隱患，進而確保了明朝政權的穩定。

自古以來，飯局就承載著權力的爭奪和利益的分配。正如錢鍾書老先生所說：「吃飯還有許多社交的功用，譬如聯絡感情、談生意經，等等」。

俗話說「無酒不成宴」，「杯子底下好辦事」。酒桌上，人與人之間的距離會大大縮短，許多生意在酒桌上的成功率要遠遠高於辦公室。

因此，才會有人出高價競拍與股神巴菲特的一頓午餐。從二〇〇〇年開始，「股神」巴菲特就在全世界拍賣與他共進午餐的權利——「巴菲特午餐約會」。而且在過去幾年間，巴菲特午餐的價碼節節攀升，從二〇〇三年的二十五萬美元，到二〇〇六年的六十二萬美元，直到二〇一〇年的一百六十八萬美元。

一頓飯能拍出上百萬美元來，當然不僅僅是吃飯那麼簡單。在這裡，飯局顯示出來的是社會功用，而不是單純的吃喝，相信拍得巴菲特這頓午餐權利的人一定會利用這一飯局達到他的目的，辦成他想辦的事。

由此可知，飯局在古今中外都有著不可忽視的力量，在簡簡單單的「飯局」二字裡，我們看到的是飲食之道裡的群體利益、社會關係和人際規則，端的是飯局千古事，得失盡在此「局」。

飯局制勝攻略

時時保持一顆淡薄名利的平常心，洞察世事。做到「寵辱不驚，看庭前花開花落，去留無意，看天上雲卷雲舒」的淡然。

第二章

飯局之妙，不在「飯」，而在「局」也

飯局，從來都是中國人不可或缺的社交方式，人們在觥籌交錯間，傳達了情誼，溝通了思想，常常能在最短的時間相互瞭解和彼此熟識。所以，透過飯局可以獲得新關係，鞏固老關係，不斷延伸自己關係的網路，完好這個社交的局，飯局之妙，不在「飯」而在「局」也！

醉翁之意不在酒

真正的社交高手，拓展自己的人脈才是飯局主要目的。

借用一句咖啡廳的廣告語：「我不在家裡就在飯局之上，我不在飯局之上就在赴飯局的途中。」人生有時猶如一個又一個飯局，一個飯局常常就是一個小圈子，一般是圈內的人才會在一起吃飯，比如同事、同學、同業的聚會，這個圈子不在乎多少人，而是在乎一種感覺，一種同道，甚至是一種對等的交流，因此外人很難打進去，這各式各樣的小圈子正是飯局社交的產物。

人生在世，最忌單打獨鬥，孤立無援，受人排擠，遭人冷落。一個人想要在社會上立足，就必須有一個屬於自己的圈子，人們總是生活在圈子中，而「飯局」，正是一個個圈子的現實縮影，也就是說，我們總是生活在一個個「飯局」中。醉翁之意不在酒。許多人赴飯局本意並不是去吃飯，如何運用飯局拓展自己的圈子，才是社交高手赴飯局的真正目的。

李明是一位企業的老闆，平時是一天三宴，忙得不亦樂乎。每次他一到飯局上最喜歡講的話題就是他和市里的市長、議長的交往史；某某名人與他常常碰面，等等。

這次飯局是某公司的業務經理安排的，本來李明是沒有時間的，但是經不住人家的再三邀請，也因為有和該公司合作的意向，所以，李明終於答應赴宴了。

酒足飯飽之後，大家一下子就親近了許多，只見李明親熱地把手搭在業務經理的肩膀上，大談他的創業史，當然，除了自己的努力付出之外，也少不了一幫兄弟哥們兒的幫助，比如說某某局長啊，還有某副市長啊，都是一起喝酒的好哥們。這不，前幾天某副市長就給他打過電話，對他關心備至，還說孩子要去美國留學，知道他的路子廣，請他幫忙租一處便宜的房子……當然，像這種小事，在他看來根本就不是事，三兩下就給擺平了，某副市長還說改天請他吃飯，算是答謝。

一番話把業務經理聽得一愣一愣的，不停地說：「還是李總路子廣，關係好，什麼時候也提攜提攜兄弟我。」看到業務經理一臉的崇拜，李明心滿意足，打著哈哈，信誓旦旦地說：「哥哥我別的沒什麼優點，就是俠義，以後有什麼難處儘管說。」業務經理一個勁地點頭，整個飯局皆大歡喜地收場。

有些人常常有意無意地說，他和「某某」名人一起吃過飯，其實就是在炫耀他是那個圈子中的人。比如有一個人，把他和某某大官在一起吃過飯的往事，當成了他一生中最值得炫耀的事情，逢人便講，有機會的時候講，沒機會的時候創造機會也會講，講述時認真、嚴肅，非常詳細，描述當時的環境、氛圍甚至一些細節，彷彿一直沉浸在那次餐會的氛圍裡。

他的意思是什麼?不難想到，無外乎就是告訴別人，他和這位大官員是同一個圈子的人。懂得社交的人，不會真正把飯局當做吃飯喝酒的地方，因為，每一場飯局下來，每個人都會為自己的社交關係信用卡添上一筆等值的透支金額。

趙晨是某銀行的業務經理，臨近年關，正所謂「識時務者為俊傑」，小趙總會想盡辦法感謝客戶的支持，同時為下一年繼續合作打下堅實的基礎。當然，與客戶聯絡感情首選的社交方式自然是答謝宴了。

「飯局是鞏固關係和拓展人際關係不可少的工具。」他常常這樣評價飯局的重要性。

趙晨的一位客戶是他的死忠支持者，已經與他連續合作了五年，一直都對他忠心耿耿，給予了他很多的支持，與他的關係也特別親。

而在去年的「答謝宴」上，這位客戶還特意帶來了他的同行朋友參加，那位朋友與趙晨認識後，耐心地聽了他下一年的策劃和市場分析。「好，很好，我非常願意與您合作，看來我的朋友果然沒有介紹錯啊！」客戶的朋友表示非常的滿意，在飯桌上就毫不猶豫地決定與他簽約。因此第二年，趙晨的業務量增加了一倍，年末的獎金分紅也隨之升了一級。

趙晨是個相當聰明的人，他知道，要與客戶續簽訂單，保持繼續合作，就要維繫好關係，也清楚，豐富的人際關係資源就是客戶圈內人最大的好處。更重要的是，他選擇了聰明的商務談判方式——飯局，可以產生事半功倍的效果。

舊的人脈需要維繫，而新的人脈還需要打造，透過客戶圈，有時候還會驚喜地發現新大陸，結識更多的客戶。因此，洞悉和你一起進餐的人的興趣和愛好，飯局營造了和諧氣氛，可以多方面瞭解客戶的想法，為將來的合作打下良好的基礎，也為你進入客戶的社交圈子提供管道。

飯局，不管吃什麼都沒有本質的區別，真正的本質區別就在於局，有的是生意，有的是交情，有的是談判，有的是讚美，說透了其實就是一個局啊。

飯局制勝攻略

飯局是老祖宗發明的一種促進彼此情感和思想傳達的最佳場所，在這裡，人們從陌生到熟悉，從熟識到親密，言語間你來我往，在飯局之上的關係處得好了，趁著酒興，一切問題似乎都不是問題。所以，真正的社交高手，懂得利用飯局這個舞台，在飯局之上為自己拓展關係，謀取利益。

水至清則無魚

生活中沒有人喜歡爭強好勝的人。

也許你上知天文下知地理，博古通今，聰慧機靈。可是在飯局之上，你還是應該適時地把自己的聰明收起來，因為沒有誰喜歡咄咄逼人、爭強好勝的人。很多人在生活中，眼裡容不下半粒沙子，也許是好強的天性使然吧！得理不饒人的他們在任何時候都不認輸，總是表現出一副咄咄逼人的氣勢。這樣的人在生活中往往不受人歡迎，甚至到了讓人生厭的地步。

一個人要懂得做事，更要深諳做人之道，前進之路才能通暢無阻。一定要明白，沒有哪個上司喜歡讓別人把自己緊緊地攥在手中，甘心俯首稱臣。如果你比他更有遠見卓識，會打擊上司的自信心。飯局是個小圈子，在這個圈子裡有主角配角之分，所以，我們要分清自己的角色，不要自作聰明，喧賓奪主，有的時候裝傻也不見得是壞事，我們要明白，水至清則無魚，人至察則無徒的道理。

徐然今年已經三十五歲了，雖然他有足夠的工作經驗和聰明才幹，人也長得風度翩翩，但是至今卻事業無成。徐然很不明白，自己兢兢業業地工作，主意比別人出得多，做也不比別人做得少，每次升遷都沒有自己的份，反倒是那些庸碌之輩，只懂拍馬屁的人爬在自己之上了，這讓徐然很鬱悶。

齊悅是徐然大學時的同學，因為家境不錯，大學畢業後就出國留學了，回國之後就開起了自己的公司，經過幾年的打拚，公司發展還不錯，聽說老同學一直不得志，於是約他出來談談心。兩個老同學見面，總免不了要喝幾杯。飯桌上，徐然不停地抱怨，滿臉愁苦。其實，這次飯局齊悅也是別有用心，他一直都知道徐然是個人才，想找機會把他挖到自己的公司來，看到徐然這樣，便趁機說道：「老同學啊，像你這樣的人才，的確不應該埋沒，難道你就沒有想過找別的出路嗎？」

「怎麼沒有想過，我也跳過好幾次槽了，都是那樣，不容易有出頭的機會。」徐然說完將杯子裡的酒一飲而盡。齊悅將徐然的杯子滿上，試探著說：「要不，你來我公司吧，剛好我們市場部缺一個經理。」徐然哈哈一笑說：「看來你這幾年混得真不錯，出手也那麼大方，竟然一下子就給我個經理當，不要開這樣的玩笑，我可會當真的。」

齊悅也就不拐彎抹角了：「我是說真的，你願意來幫我嗎？」

徐然見齊悅不是開玩笑，也許是酒精作用，也許是多年不得志擠壓的愁苦，他沒有考慮，當時就答應了齊悅。齊悅的確沒有看走眼，徐然睿智而又遠見卓識，再加上豐富的經驗，總是能提前作出正確的判斷。

這天，齊悅要宴請一個重要客戶，於是讓徐然作陪。在高級餐廳訂了一間包廂，除了徐然之外還有幾個人作陪，賓主之間把酒言歡，其樂融融。酒至半酣，那個客戶將手搭在齊悅的肩上，略帶醉意地說：「五花馬，千金裘，呼兒將出換美酒！酒真是個好東西，也難怪詩仙杜甫連好馬也不要了。」聽了客戶的話，有的說客戶說得有道理，也有的說客戶真是高雅之人……

只有徐然大聲說：「老兄，不對吧，什麼時候詩仙變杜甫了。」眾人停頓了一秒，客戶的臉變成了醬紫色，齊悅見勢頭不對，趕緊將酒杯端起來說：「管他什麼詩仙不詩仙的，我們乾了這杯，大家都是酒仙。」於是大家都頻頻舉杯，將事情一帶而過，徐然還在那裡跟身邊的人解釋，齊悅忙用眼色制止。

後來齊悅又帶徐然赴了幾次飯局，經過更深入的瞭解，齊悅終於發現了徐然事業不順的癥結所在，不是他的運氣差，也不是那些公司沒有眼光，而是徐然的性格的確讓人難以忍受。

漸漸地，齊悅也不太喜歡帶徐然赴宴了，不是所有的事情都是商務談判，日常小事又不是什麼原則性問題，**出點錯誤大家一笑帶過就好，何必咄咄逼人呢？**

現實生活中，我們常會發現那些學歷智商非常高、能力非常強、極精明的人，往往得不到上司的青睞。其癥結就和徐然差不多。可以說，在飯局之上，往往決定一個人的成敗，太過鋒芒畢露，錙銖必較會讓你失去一次又一次的機會。

飯桌是社會的縮影，飯桌上處處是玄機。有些飯局，看著一大桌子人，其實主角只有一個，其他人都是陪襯。主人之所以邀約這個飯局，目的就是請這個主角，或為辦事，或為還情，反正一切都是為了他。來吃飯的人當然也都明白其中的道理，大家都幫著主人給這位主角面子。要是有哪個不識相的搶了風頭。不但主角不高興，連做東的主人也不高興。

所以，要想得到上司的賞識，記得要收斂起自己的鋒芒。學會儘量在上司和客戶面前低調處事，看穿卻不說穿，才是在職場中翻雲覆雨的王道。特別是在飯局之上，這個時候是一個輕鬆自在的範圍，很多人都容易疏忽，以為大家都兄弟相稱就真成了自己的兄弟，於是口無遮攔，大大咧咧，甚至是為了一件小事和上司爭得面紅耳赤，這些都可能為你以後在工作中麻煩不斷埋下隱患。

總之，真正的社交高手，不會因為自己一時一刻的爭強好勝，得罪別人，他懂得給別人留下一點迴旋餘地，讓那種明瞭一切卻不點破的拈花微笑，成為自己獨特的魅力。

飯局制勝攻略

生活並不是研究學術問題，也不用那麼精準無誤，要懂得變通，懂得適當地調整自己的心態。如果不是一些原則性的問題，就算你眼光銳利，洞悉一切，你仍可以笑笑，傻傻地說，哦，原來是這樣。給對方留一條後路，你會發現，在你以後的生活中會出現很多路。

吃飯事小，出局事大

飯局不只是為了填飽肚子，而是更重要的社交能力。

有人會問：飯局的意義究竟是什麼？這種質疑並不可笑，很早以前飯局的意義就已經不僅僅是填飽肚子了，而是有更多的內涵和目的在裡面；還有人問：飯局社交真的有那麼重要嗎？我們可以毫不猶豫地回答：是的，真的很重要！我們在這個社會上生存，都不是單一的存在，需要不斷地被這個世界認同，所以都離不開融洽的人際關係。就這樣，華燈初上之際，各大小餐廳裡爆滿，酒杯與酒杯的碰撞中就會演繹出各自的所求所需，於是在這樣的觥籌交錯間就衍生了所謂人脈，所謂圈子，所謂社會關係，所謂資源，所謂一個人的能量，所謂友誼，所謂生意和交易。

笑笑畢業了，剛走出校園的她和大多數剛走出校園的學生一樣，在迷茫和彷徨中東奔西走，只為找到一份能把自己養活的工作。

前幾天，她和其他四名求職者一起參加了某協會祕書職位的面試。面試完之後，招聘者突然說：「大家都別走，我們一起吃個飯，增進一些瞭解。」面對招聘者忽然發出餐敘的邀請，五個人都覺得有點莫名其妙，但還是硬著頭皮應邀出席。走進偌大的包廂，五個人有些不知所措，畢竟他們都是剛剛步入社會，並不知道怎麼面對這樣的應酬。

笑笑看見大家手足無措的樣子，率先反應，挑了靠門的座位坐下：「這裡是上菜的位置，今天我給大家服務啊！」大家這才依次入座。入座之後，大家都不說話，笑笑卻表現得很外向，首先跟在坐各位打了個招呼，接著做自我介紹。氣氛稍微有點緩和，彼此熟識一點後也沒有剛才的尷尬。上菜了，可是，面對如此豐盛的飯菜，五個人的胃口似乎都很小，「第一次吃飯，如果喝多了，留下不好的印象，工作肯定沒希望。」大部分應聘者都這樣想，於是大多悶頭吃菜，也不太願意喝酒。看見飯局有些清冷，笑笑為了給大家營造一個和諧的氛圍，還提議給大家說笑話。飯局過後，四人出局，笑笑被錄取了。

招聘單位告訴五名應聘者，餐敍其實是面試的一部分，驚訝很快寫在每個人的臉上。負責人接著說道：「在第一輪面試中，你們五個人難分伯仲，於是我們才有了經由餐敍進一步考察的想法。雖然笑笑在飯桌上的表現仍然有些稚嫩，但她卻在努力地調節氣氛，試圖打開沉悶的局面，我們需要這樣的意識，你們應聘的職位需要跟許多企業老總打交道，飯桌上的溝通能力和調節氣氛的能力尤為重要。」

聽完負責人的話，五個人都若有所思。

面對這樣的面試方式，很多人都會覺得很意外，還有一些人很不贊同這樣的面試方式。他們認為，餐桌上的禮儀固然在一定程度上可以展現一個人的素質，但是良好而高效的辦事風格更為重要。飯局上的表現如何，實在是與工作無關的私事。這樣的想法比較偏頗，現在社會上需要的是全方位的人才，一些公司從業務性質出發，的確需要一些綜合能力強的人才，看應聘者在飯桌上的表現，考察其控制局面、調節氣氛以及社交能力，這方法確實蠻不錯的。

所以，當我們出社會的時候，飯局學問就成了不得不學的入門課程。飯局是很有講究的，如何分賓主，如何排座次，其中學問，錯一步就可能滿盤皆輸，實在並不輕鬆。推杯換盞不過是惺惺作態，暫達目的才是背後真章。大家圍席而坐，是一個相識相知的過程，是一個合作無間的開始，我們不求能在飯局之上呼風喚雨，最起碼也要做到不被飯局踢出局吧！

飯局制勝攻略

飯局之上最重要的是活絡，要想玩轉飯局，光擁有千杯不醉的硬功夫是不行的，我們還要隨時注意飯局的風雲變化，察言觀色，讓自己能在各種交際危機中化險為夷。我們要記住，機智應變，才能成為EQ優秀者中的翹楚！

第三章

別出心裁的宴請，方可事半功倍

飯局不僅僅是簡單的請客吃飯，現在這個時代，大家都不缺吃缺喝，不是你所有的邀請別人都會趨之若鶩應邀參加。即使你設了一桌多麼豐盛且味道鮮美的佳餚，如果沒有成功地邀請到客人，那麼成功的宴會、成功的交流也就不復存在了，因此，在邀請客人赴宴的時候，一定要懂得方法和技巧。

宴請上司，切記慎重對待

宴請需要把握好對象，上司關係著你的前途，馬虎不得。

身為下屬，宴請上司吃飯一定要慎重對待，即使你和上司有很深的交情，也絲毫馬虎不得；否則，宴請不當，往往會適得其反，給上司留下不好的印象。邀請上司吃飯主要有兩種目的：一種是表示慶賀。如工作上取得成績，或者晉升、調薪等。另一種是有事相求。既然是有求於人，在禮儀上就更應該予以重視。而在餐桌上表現自己最恰當的方法莫過於優雅的舉止談吐。按照這樣的思路，運用類似的方式來獲得上司的信任，在工作中，上司才會更有信心把任務交給你去做。所以，身為下屬，邀請上司吃飯要慎重對待，即使與上司之間有深厚的交情也不可大意。

正所謂無功不受祿，邀請上司赴宴必須找個合適的理由，否則上司不來赴你的宴會，這場飯局也進行不下去。所以必須在尊敬上司的前提下，尋找最合適的理由對上司發出邀請。

張嶙林是公司的新人，剛從大學畢業，稚氣未脫的他工作很用心，可是他總感覺經理不太重視自己，分配給自己的都是些跑腿打雜的事。一次，他從同事口中得知經理覺得他有些木訥，所以想多練練他。張嶙林初入職場，還不太會處理紛繁的人際關係。但他見同事總找理由請經理吃飯，經理常常欣然前往，總算是明白過來了。

有一天，下班後，同事們下班陸續走了。張嶙林在列印檔，經理進來了。「小張，幫我把這份文件複印一下，我明天見客戶要用。」經理說完就回辦公室了。張嶙林把檔交給經理了之後，經理順口問：「小張啊，工作還適應不？平常要勤問，不懂的多問問前輩，要提高效率。」

張嶙林說：「經理，我正有事要請教您呢！我知道您是這行的專家，經驗豐富，希望可以獲得您的指導。不過，今天太晚了，要不我們邊吃邊聊？經理可一定得賞臉啊，讓我做回東。我知道經理是江蘇人，對街正好有個不錯的江蘇菜館，聽說小龍蝦做得很不錯！」經理說：「行，我們現在就去。」

那天晚上張嶙林和經理相談甚歡，從工作內容聊到大學生活……後來張嶙林的工作表現越來越好，經理也越來越賞識他，交給他任務也特別放心。張嶙林的這種邀請就很自然，讓領導很舒服地接受了，並且達到了自己與經理拉近關係的目的。因此，找一個合適的理由是宴請上司的關鍵點。

宴請上司，除了合適的理由之外，時機也很重要，比如：當一個階段性工作告一段落，最好是你出色地完成了任務的時候，或者是你剛得到提升之時，你可以趁機宴請上司；如果你和你的老闆是舊識，並且關係不錯，那麼你就可以隨時邀請他了；如果你是新上任的部門負責人，因為有許多事情要談，雖然理由有點牽強，但是還是可以邀請他的；如果你和你的老闆一點都不熟，那麼就不要邀請了，否則，彼此都會很尷尬。

最後，需要強調的是，宴請上司一定要量力而行，務必從實際需要和實際能力出發，切不可虛榮鋪張、打腫臉充胖子，這樣上司才領你的情，而不懷疑其是「鴻門宴」進而拒絕你的邀請。

飯局制勝攻略

宴請時要把握好宴請對象的身分，上司關係著你的前途命運，所以，宴請時一定要有別於一般朋友，在合適的時候想一個合理的理由是宴請成功的關鍵。

宴請客戶，真誠是敲門磚

不虛情假意，不違約、不失信，竭盡所能滿足客戶的需求。

做生意的人都説客戶是上帝，所以都想搞好與客戶的關係，既然如此，宴請是免不了的。成功的商業人士善於記錄客戶的資料，研究重要客戶的各方面資料，分析其喜好。邀請客戶吃飯應注意要真誠對待不同類別的客戶。「誠」就是真誠相邀，不虛情假意，不違約、不失信，竭盡所能滿足客戶的需求，令其歡欣而來，滿意而歸。

被拒絕是一件令人沮喪的事情，尤其對於商務人士來説，它往往意味著為成交而進行的大量的前期準備工作和説服工作付諸東流，功虧一簣。一些人經不住屢遭拒絕的打擊，最終放棄了宴請。其實，宴請被拒絕並不可怕，重要的是要有一個正確的態度，並掌握一些克服沮喪情緒的心理調適技巧。

小玲一直都是個不善言談的人，但是，大學畢業之後她卻選擇了業務行業，剛開始工作，一路跌跌撞撞。看到同事們都有自己的固定客戶，並時常請客戶吃飯聯絡感情，小玲很是沮喪，她也很想邀請一些客戶共進晚餐，但是都被客戶以各種理由婉謝了。

小玲想不到什麼好辦法了，只好向那些前輩請教，同事説：「一般客戶拒絕業務員的示好，那是正常的防衛態度，所以，你在請他的時候一定要有合理的理由，讓他看出你的誠意，我只能跟你講這麼多，一切還要靠自己去領悟了。」

聽了前輩的話，小玲似懂非懂，但是，她知道，最大的癥結所在還是自己不善言詞，唯唯諾諾地讓人產生不了信任之感。於是，她虛心向擅長言談的親朋好友請教，吸取了豐富的經驗，並在實際中靈活應用，很快就改變了被拒絕的苦惱局面。

現在，小玲的業務越做越好，有許多老客戶，還在不斷發展自己的新客戶。小玲發現自己也變得很善談，並且越來越自信。

為了能使邀請成功，小玲可是花了不少心思，但總算是皇天不負苦心人，小玲終於有所收穫。其實，一次成功的邀請也並不是很難，抓住兩個關鍵點即可：一是隨機應變地抓好時機，二是態度和措辭一定要誠懇。下面就給大家介紹五種成功邀請到顧客的妙招：

一、約客戶的時候還在臨近餐廳的時候，在你和客戶聊得正開心之時，「正巧」到了吃飯的時間，這個時候你向客戶發出邀請就會顯得自然又合理了，通常情況下，只要你一再堅持，客戶就會同意的。

二、在你和客戶合作達成之時，你可以就勢邀請客戶一起吃飯，通常這個時候客戶也是非常樂意給你這個面子的，這頓飯吃好了，那麼你們的下一次合作也就差不多了。

三、在你們合作之後，你也可以設一次答謝宴，這時，你可以給客戶打電話邀請，也可以親自登門邀請。如果你一次邀請了幾位客戶，一定要在邀請的時候告訴每位客戶都有誰到場，以免出現有的客戶不滿意的情況。

四、在你們合作期間，你也可以打電話邀請客戶，但是在邀請的時候一定要向客戶顯示你邀請的用意以及大致情況，防止客戶有避諱賄賂之嫌而給予拒絕。這個時候你可以以有什麼問題需要請教對方，或者是想和他聊聊，交個朋友為理由。總之，邀請誠懇即可。

五、為了瞭解客戶資訊和加深客戶感情，你也可以在你們沒有合作的情況下邀請對方，即以私人交往的名義請客戶吃飯。你可以告訴客戶你現在正好在他家或者是公司附近，這家餐館聽說很不錯，請他一起來坐坐。

總之，邀請客戶時一定要有禮貌且展現出誠意，這樣你的邀約才不會被拒絕，這樣的成功邀請也就為你的生意開啟了成功之門。

飯局制勝攻略

宴請客戶最主要的是誠意，所謂誠意，是一種堅持、耐心、毅力，是一種百折不撓的精神。簡單地說，這個客戶很難請出來，我就不停地邀請。每次出差到了該地，我都第一個電話打給他：「劉總，今天我來這邊出差了。上次您正好有事，今天方便嗎？大家一起聚聚？」如果遭到婉拒，你再著手安排別的事情。一年裡你去出了十趟差，邀請了十次，有多少人忍心拒絕十幾次誠意的邀請？

宴請同事，自然最妙

宴請同事不必過於正式，切記別在同事面前大吐苦水。

一般邀請同事進餐比較隨便，不必過於正式，開開玩笑聊聊閒事，哪怕是打打鬧鬧，都是可以的。但是也應嚴格區分聚餐的不同形式或者場合，在一些正式的宴會或比較正式的場合，同事聚會時也應注意形象與禮儀，不可失禮於人。

如今，同事關係在人們的日常工作和生活中變得越來越重要。很多公司都有了不成文的習俗：升遷者要請其他同事吃飯。身在這樣的大環境中，你也應當入境隨俗，不然就會顯得過於小氣。

此外，宴請同事時要注意：第一，量入為出；第二，注意身分。不要動輒邀請同事去高級餐廳，未必個個都會領你的情，有可能會被認為過於招搖，反而引起同事們的反感。所以，宴請同事的時候，最好一切依照舊例，有很好的宴請理由，如果你實在沒有什麼值得請客吃飯的事情，而你又想聯絡同事之間的感情，那麼你就要費一番心思，製造一個合理的理由了。

小李是新分來的大學生，初入職場的他和辦公室裡元老級的同事總有些不合，連科長都說他有些木訥。辦公室裡的同事總能找到理由請客，科長也時不時欣然前往。而小李更加被孤立，雖然他也在尋找請客的理由，以期拉近和大家的關係。小李沒有女朋友，生日還有半年多的時間，他實在找不到可以宴請大家的理由，又怕落個馬屁精的稱號。這件事成了小李最大的苦惱，他希望自己能夠儘快融進這個團體裡。這天是週五，又是一個週末到了，想了一週，一個成熟的請客計畫已經在小李的心中形成了。早上剛到辦公室，小李就羞澀地向大家宣佈了自己有女朋友的事情，下班了，同事和科長被請進了附近的飯店，酒足飯飽後，小李從大家的眼神裡看到了認可和友好的神情，漸漸融入了大家。而這一切要謝就得謝那位虛擬的「女朋友」啦。

誰都知道，辦宴容易請客難。請客吃飯不是一件容易的事，稍有不慎，就會遭到拒絕，成功的宴請，除了好的理由外，更為重要的是一種說法。

我們知道，往往同一件事情有不同的說法，請客吃飯也不例外，你的說法自然而又合理，誰會拒絕一桌讓人垂涎的美味佳餚呢？邀請同事吃飯的方式有很多，那麼，要怎樣才能做到順理成章呢？

一、開門見山

你可以直接提出邀請，說出自己的目的。例如：「喂，楊語嗎？我和小馬他們幾個現在在火鍋店涮肉呢。剛剛下班沒找到你，你趕緊過來吧。我們等你來啊。」

二、喧賓奪主

你可以事先調查一下要邀請的同事所在的環境，就近選擇一家有特色的酒店，然後再發出邀請。例如：「馬姐，中午有空嗎？一起吃飯好吧？我發現對面多了一家川菜館，走路五分鐘就到了。中午就犒賞犒賞自己……」

三、**借花獻佛**

你也可以借自己有什麼喜慶作為「花」來獻一下「佛」。例如：「章哥，今天雙色球公佈了，我中了三等獎！晚上下班了我請客，哥幾個喝一杯去！」

四、**步步為營**

步步為營是第二次邀請時採用的招數。例如：「鄭潔，怎麼樣啊？上次給你介紹的那家西餐廳還不錯吧？現在該承認我是尋找美食的專家了吧？最近我又發現了一家不錯的法國餐廳，今天晚上下班我們一塊兒去嘗嘗吧！」

雖然邀請同事吃飯的方式很多，但是忌諱也不少，比如席間話題的選擇一定要把握「火候」。

同事之間談話，最好選擇與工作無關的輕鬆話題，像與老朋友那樣的調侃式的對話在同事聚會時要小心使用，不要無形中得罪了同事。席間也不要談同事的隱私，即使是閒聊，如被心懷不軌的人聽到，也很可能會被添油加醋地到處宣揚。因此，有關同事的隱私和祕密，不說為佳。

除此之外，同事之間聚餐時一定要注意不要在同事面前批評上司。有些人在白天受了上司的批評後，喜歡晚上約個同事喝一杯，然後對著同事發發牢騷，認為同事既然和自己喝酒了，就應是站在自己這一邊的，於是借著酒氣對上司大肆批評起來。這種事情一定要避免。不論多麼值得信賴的同事，當工作與友情無法兼顧的時候，朋友也可能會變成「敵人」。在同事面前批評上司，無疑是自丟把柄給別人，有一天身受其害都不自知。就算這位同事和自己是肝膽相照的摯友，不會做出出賣自己的事情，但也得小心「隔牆有耳」，不要貪一時的口舌之快而壞了自己的前程。

飯局制勝攻略

如果你宴請同事，是為了「吐苦水」，你的決策可能就大錯特錯了，在同事面前說上司的不是，無疑是給自己埋下了定時炸彈，小心駛得萬年船，在和同事一起進餐時，你最好是少說多吃。如果你實在是憋得慌，不吐不快，你不妨先探探對方的口氣，看其是否同意自己的看法，如此用心，是在社會上立足不可缺少的條件。

請下屬吃飯，收放自如

請下屬吃飯時，主管需要放低姿態，掌握好上下級的溝通藝術。

要帶好一個團隊，需要有足夠的社交技巧，你不僅要鼓勵你的團隊成員努力工作，還應在他們取得成績時給予獎勵。如果公司不能為他們加薪，你不妨自掏腰包請大家出去吃一頓午餐或晚餐。不要擺出一副施恩者的樣子，要把你的下屬想成跟你一樣有價值、有智慧的人，他們只是目前的資歷不如你，或者你們各自具有不同的優勢。主管請下屬吃飯的時候，需要放低自己的姿態的，掌握好上下級的溝通藝術，使交際雙方心情舒暢、工作順利、事業成功。

小雅是某電氣集團人事部的主任，上任剛好半年，她知道辦公室裡的人並不服她這個「空降兵」，於是，年底她設了一個餐宴，宴請部門裡的所有人吃飯，當然，主角是副主任江濱。半年前，部門經理出國了。部門裡所有的人都以為身為副主任的江濱會順理成章地填補這個空缺，但是萬萬沒有想到的是，總部卻讓外單位的一個女士，也就是小雅坐了這第一把交椅。上任的時候，至少有兩個月，辦公室裡的氣氛都很壓抑，靜得掉一根針就能聽到，大家連喘氣似乎都變得小心翼翼。

小雅看在眼裡心裡自然明白是怎麼一回事，她很清楚自己空降到這裡之後給這個部門帶來的尷尬，所以，除了把工作理順之外，其他的她都維持原狀。時間長了，大家才習慣她的存在，江濱不再陰陽怪氣，辦公室裡的氣氛也隨之融洽起來。

宴會上，集團老總和其他部門的經理都在，但是，小雅卻將第一杯酒敬了江濱。

「這第一杯酒就敬我啊！」江濱感覺很是突然，驚訝地說。

小雅什麼都沒有說，直接先乾為敬。女士先喝了，男士便沒話可說，也跟著乾了。江濱乾完後，還沒有來得及說話，小雅又開始敬第二杯。

小雅端著第二杯酒，望著部門裡的全體員工說：「這第二杯酒，我要敬的是部門裡的全體員工，謝謝大家這段時間的配合和支持，我先乾了！」說完一飲而盡。兩杯酒，把半年來所有的一切都包含在其中，大家都佩服小雅的聰明，將杯中酒喝得一滴不剩。

第三杯酒才輪到集團老總，敬酒的時候，老總還笑呵呵地說了很多小雅的好話，對他們部門的工作作了充分的肯定，對江濱更是高度評價，一點都沒有為最後才敬自己酒而生氣，當然，這件事是小雅提前跟老總打了招呼的，請求老總配合她的安撫行動。

這頓飯局還真的奏效了，這兩天上班，江濱情緒很好，還主動和小雅一起討論新一年的工作打算，一副幹勁十足的樣子，而部門裡的其他員工也變得更加積極。

為什麼有這樣的改變？顯然，這場飯局產生了關鍵性作用。小雅利用這個飯局，充分表示了對副主任江濱的尊重和感激之情，如果你是江濱，面對這樣的飯局，也絕不好再在小雅面前擺一副臭臉吧？所以，一個飯局之後，原本尷尬的局面變得不尷尬了，原本陰陽怪氣的江濱也變得積極主動了，這就是飯局的魔力。

職場中，主管為了管理、激勵或是為了與下屬保持良好的關係，常常會請下屬吃飯。能力再強的上司要把事業做好，也離不開下屬的合作與支持。所以，請下屬吃飯的時候，一定適當給予對方鼓勵，給其打打「興奮劑」，這樣下屬才能感受到你的良苦用心，進而更好地配合你的工作。那麼應該怎麼做比較好呢？

一、讓下屬感覺他很重要

每個人身上都有個無形的胸卡，上面寫著「讓我感到我的重要」。這句話揭示了與人相處的關鍵所在。因此，你一定要讓他感到自己很重要，比如時常關心一下他的工作、生活情況。哪怕只是一句溫暖的問候，也會讓他感到自己很重要，進而覺得你是個通情達理的領導。

二、真正寬容下屬

如果你的下屬是因為做錯了事，想獲得你的原諒才請你吃飯的，只要他的錯誤無關原則問題，你都應該適當表態，可以稍稍訓斥一番，然後對他表示理解和寬容。

三、展現人性化的一面

如果下屬是曾經與你產生分歧，甚至發生爭執，事後你特意請他吃飯便是和解的話，你該適度進行一番自我批評，點明雙方的爭執是由於一時過於主觀，最好能幽默地化解彼此的緊繃情緒，展現人性化的一面。讓下屬明白你是一個就事論事的人，絕不會在背後做小動作。

另外，好主管必須洞悉下屬的心理，瞭解下屬赴宴時的心態，避免下屬食不下嚥，同時又感受不到你的良苦用心，進而導致無效溝通。大多數主管都是從下屬做起的，或者也是別人的下屬，應該明白主管無緣無故請下屬吃飯，下屬心裡總會怪怪的，所以主管向下屬發出邀請的時候必須點明邀請的原因，比如「這段時間大家為了手上的案子天天加班，太辛苦了，今天我做東慰勞一下大家。大家都不是鐵人啊，還是該放鬆放鬆啊，明天再接著努力」，「今天我給大家設了個慶功宴……」這樣下屬就明白領導的用意是激勵和鼓舞，自然可以毫無芥蒂地去赴宴了。

不過，需要注意的是，主管也是食五穀雜糧的凡夫俗子，三杯酒下肚，很可能會管不住自己，比如不經思考給下級許下加薪之類的承諾。所以，酒不能喝得太多，要管得住自己。否則，假如下屬是個不值得信任的人，第二天一定會搞得滿城風雨，更可能讓那些覬覦你的人有可乘之機。

總而言之，作為主管雖然掌握著別人的「生殺大權」，但你不是萬能的，總有一天有需要下屬幫忙的時候，所以，請下級吃飯要以情動之，不斷累積人脈，以備後用。

飯局制勝攻略

兵法有云：「攻心為上。」人心最難瞭解，也最難贏得。要想當好領導者，唯有籠絡下屬。對下屬誠懇、真摯，才能凝聚成堅不可摧的向心力。

宴請異性，注重涵養

宴請異性朋友時，一定要特別注意禮儀。

「正常男女凡在一個正常年代談一場正常的戀愛，很難繞過餐桌而行。」沈宏非先生的《寫食主義》中有這樣一句話：「隔座送鉤春酒暖，分曹射覆蠟燈紅。」吃飯是熱戀中的男女最經常做的事情。吃不是目的，而是方式。在吃飯的時候，可以談論很多話題，可以對視，可以交杯換盞……反正是什麼都好吃，因而戀人熱戀期間常常光顧許多餐廳。作為一個文明的現代人，宴請異性朋友，尤其是男士宴請女士時，要特別注意禮儀，這不僅展現了你對對方的尊重，還展現了你的涵養。

邀約異性共餐不同於其他，有些小細節是需要注意的，比如必須遵守約定的時間，讓女性在公共場合等五至十分鐘還勉強可以接受，時間太長的話，就顯得不尊重對方，是一種極其失禮的行為。這時候應用電話事先告知，以免影響對方的情緒，導致社交失敗。

另外，男士在女士來到餐桌邊時要站立，即使在混雜的餐廳，也要稍稍提起上身，直到女士入席或者邀請她坐下為止。女士在離開餐桌的時候，男士也要站起來。當然，如果這個女士是你的妻子或者是接待的女主人，她來收拾餐具的時候，就不需要站起來了。

如果是女性約會男性共餐，也要注意採取什麼樣的方式邀請，要根據交際的目的、性質和對方的身分而定。學者、專家、企業老總等，大多業務繁多、工作繁忙，對他們最好提前預約，以便與他們安排時間；對於時間充裕、工作便於調整的人提前預約當然更好，不過即使臨時邀請，一般也能隨請隨到；邀請男朋友則可悄悄進行，沒必要大張旗鼓，以便於交往活動順利進行。假如是一般往來關係的人，招呼一下、打個電話、發條簡訊也就可以了。較重要的工作聯繫、業務關係、公關事務等，就必須採用相應的公文形式，如發書信、寄請柬等，或者派專人傳達、親自登門等，以展現對對方的重視與尊重。除了這些，女性約會已婚男性時，一定要盡可能選擇公開的場合，以避免產生對雙方不利的流言蜚語。

林靜是學校的音樂老師，也許是藝術家天生的一種氣質，很有文藝氣息的她是個典型的知性女子。也不知道為什麼，條件如此優越的她至今沒有結婚，這讓很多人疑惑不解，有的人說她眼光太高，有的人說她在等一個人，還有的人說她是一個見不得光的小三，總之，眾說紛紜，面對這些流言，林靜都不予理睬。

最近，林靜迷上了畫畫，於是，美術老師于皓時不時地指點指點她。于皓是一個有才情的人，他的作品多次獲獎，事業有成，家庭和美。才子和才女的相交，都有相知恨晚的感覺，都把對方當成了自己的知己，兩人來往過於頻繁，在還比較傳統的小城，流言自然滿天飛，林靜並不在乎，她一直都是個不為世俗捆綁的人，在這個風口浪尖之際，她竟然還向于皓發出了邀請，答謝他的指導。

那天是週五，下班後，她叫住了于皓：「于老師，這個週末有空嗎？您都免費教我這麼久了，我也不知道怎麼感謝您，最近學了一道新菜，想讓您嘗嘗我的手藝。」

于皓聽了林靜的話，面露難色，他和林靜的流言早傳到妻子的耳朵裡了，他可不想將流言擴大，於是說道：「這個週末啊，我答應我太太要陪她去看電影，這樣吧，下週我在『醉八仙』擺一桌，把李老師他們也叫上，我們都好久沒有聚聚了，趁此機會大家交流交流。」

聽了于皓的話，林靜已明白了幾分，也覺得自己太過隨意，本來就流言纏身，還邀請對方在自己家裡做客，當然得碰一鼻子灰了。

於是，林靜笑笑說：「行，到時候你可別搶著買單，這個謝師宴是必不可少的。」

於皓哈哈一笑說：「那我可不客氣了，非狠狠宰你一頓不可。」

林靜宴請失敗，主要是她沒有分清時事，也沒有把握好身分，一個未婚單身女子，邀請一個已婚男子，是有很多避忌的，你可以特立獨行，但是別人不一定會奉陪到底，一起彰顯你們的個性。所以，宴請異性的時候，我們一定要分清場合，選擇好約會場所，以免帶來不必要的麻煩。

在初戀時期，男孩邀請女孩吃飯，最好選擇像麥當勞、肯德基這類大眾化的餐廳。因為剛開始雙方對於對方的口味不是很瞭解，而速食店賣的炸雞、可樂和漢堡一般人都不會排斥，不失為上上之選。同時，這些速食店經常會贈送一些小禮物，買套餐搭送一個小玩具，對方就能高興好幾天。

男士第一次正式請女性朋友吃飯一定要選人多的、明亮的地方，這樣女朋友才會有安全感，才會願意接受你的第二次邀請。不過，如果女朋友對你本來有意的話，也不妨挑人少、燈光暗淡、周圍都是情侶的餐廳，這樣更可事半功倍。當然，要注意找一個角落的位置，這樣可避開眾人的目光，減少女性朋友的心理緊張。而且，你還要請她坐在背向門口的位置，如此她的視線便會以你為中心，同時你自己則可看到整個餐廳的情形，能夠在平靜的氣氛中引導談話內容。

總之，邀請的方式和約會的地點要因人而異，因事而異，把握好這一點，你就可以舉辦一次成功的宴請了。

飯局制勝攻略

和異性朋友進餐的時候，彰顯風度和涵養最為重要，所以，一定要掌握好基本的餐桌禮儀，你要明白，這個時候，失禮也就是失去機會！另外，除了合適的動機和理由外，還要有合適的約會場所，這樣才能讓人放心赴宴，不會產生「無事獻殷勤，非奸即盜」的感覺。

第四章

既要投其所好，也要知其所忌

俗話說：「蘿蔔青菜，各有所愛。」在請客之前，必須先弄清客人的身分地位、飲食習慣及其飲食特點，才能輕鬆成事。另外，可以設計一些餘興節目，以便於與宴者在輕鬆的環境下聯絡感情，溝通有無。總而言之，請客前必須多方斟酌，確保有備無患，這樣才有助於你達到宴請的目的。

東西南北飲食不同，看人下菜

看人點菜，除了有特色的菜餚，家鄉菜也是首選。

「十里不同俗，百里不同味。」飲食消費心理學認為，客觀環境既是飲食習慣產生的前提，又是飲食習慣得以延續的原因。比如，台北、台中、台南、高雄的生活環境決定了各地的飲食習慣。如台北口味偏鹹、中南部口味偏甜等等。

然而，客觀環境不是一成不變的，特別是在人們對客觀環境的認識發生變化的情況下，人們的飲食消費習慣也會變化，但這種變化是緩慢的，在很長一段時間內人們還會自覺地進行習慣性的飲食消費。所以說，隨著客觀環境和人的認識的變化，人們只能一點一點地改進飲食消費習慣，而不能迅速地摒棄。這種變化是在潛移默化的過程中完成的。東西南北中，飲食各不同，但我們對各個地方的飲食習慣瞭若指掌之後，不管宴請什麼樣的人，只要知道他是何方人氏，你就可以大差不差地安排一次賓主盡歡的妙局。

某個西南地區的小城市，招商是很難的，為了留住來自台灣的投資商，市長讓祕書小劉去安排一桌宴席，準備在飯局上留住這個財神爺。小劉覺得自己的任務相當艱巨，一向很會安排宴席的他這下卻沒有了主意，究竟要怎樣才能讓對方滿意呢？看著菜單，地方特色菜很多，也很高級，但是，小劉深知這些地方特色菜都非常辣，這個台商是招架不住的。

小劉犯了難，像這種海鮮鮑翅都覺得是家常便飯的大老闆，點什麼菜才能吊起他的胃口啊，小劉看著菜單苦思。忽然，他靈光一閃，何不讓他在異鄉嘗嘗家裡的味道？小劉有了主意，他放棄了全市最高檔的餐廳，選擇了最地道的一家閩菜館。

當小劉將一干人等帶到閩菜館的時候，市長覺得莫名其妙，但礙於投資商在旁，也不好多說，看到小劉胸有成竹的樣子，也只好靜觀其變。「陳總，聽說您老家是福建的，您已經很久沒有回家鄉了，一定很想念那些家鄉菜，這家閩菜做得特別地道，所以，市長特別吩咐我，讓您在這裡好好嘗嘗家鄉的味道。」小劉一邊引導台商入座，一邊說。

台商眉開眼笑，一邊盛情謝過，一邊入座。

上菜了，「佛跳牆」、「香菇雞湯」、「綠竹筍」等代表菜自不會少，還有許多特色菜，每樣都製作細巧、色調美觀、調味清鮮。每吃一道菜，台商都嘖嘖稱奇，沒有想到在千里之外還能吃到這麼地道的家鄉菜。看到台商如此高興，看來事情也就成了一半了，於是頻頻舉杯，市長自然也很高興，酒酣耳熱之際當場就在飯桌上簽了投資合約。從此以後，市長更加信任小劉，什麼事都交給他辦，小劉也一舉成為市長身邊的紅人。

宴會作為公務、商務人士絕佳的交流平台，可以令與宴的陌生人由不熟悉變得熟悉，讓一直心懷戒備的人放下戒備，讓競爭對手變成合作夥伴，讓上司變成朋友甚至伯樂……所有的人際關係都可能因一場宴會而改變，所以宴會前的準備絲毫馬虎不得。如果有一個細節做得不好或者出問題，就可能使這種請客吃飯的好事變成壞事，甚至造成客戶流失、被人小看、上級不滿、職位不保、生意泡湯等惡劣後果。

所以，在安排宴會時，一定要多動腦筋，還要瞭解宴請對象的喜好厭惡，正所謂「知己知彼，百戰不殆」。東西南北飲食不同，我們要看人下菜，那麼，我們就必須詳細瞭解各個地區的飲食特點。

飯局制勝攻略

看人點菜，最好的招待方法就是吃得有特色，只有讓客人滿意，才有利於感情溝通。飯局有特色，無論是用當地特色菜招待，還是用家鄉風味菜招待，只要你花了心思，這頓飯的收穫就有可能達到預期的目的。宴請久居異鄉的客人吃頓純正的家鄉菜，即使沒有山珍海味，也足夠打動對方。

將

男女口味有別，搭配得當

男性顧客重「量」，用餐講求分量足；女性顧客重「質」，重視服務細節。

古語有云：「飲食男女，人之大欲存焉。」不同的性別會產生不同的飲食消費心理及行為，這是由兩性飲食消費者在記憶、思維、情緒、個性等心理方面存在的差異決定的。比如，在點菜行為上，男性一般較粗略迅速，對食物的奇特性往往要求較高，而且男性一般都有個人的某種特殊嗜好。女性點菜時往往選擇多，挑選細，反覆諮詢，佔用時間長，具有較強的求全心理。在分量上，男性比女性顧客的食量大、胃口佳。在口味上，男性一般喜歡富含脂肪、蛋白質及碳水化合物的食物；女性則一般喜歡清淡不油膩的菜，素食蔬果尤佳。在需求上，男性顧客重「量」，用餐講求能果腹、分量足，女性顧客重「質」，對環境較為敏感，重視服務細節。

通常情況下，男女一起在餐廳用餐，如果不確定是誰點的菜，服務員會把素菜擺在女士面前，把葷菜放在男士前面。由此可見，人們潛意識裡都非常清楚男女飲食有別，而且已經習慣這種普遍的飲食傾向。如果不瞭解這種飲食傾向，很有可能就因為這個小小的細節，讓你全盤皆輸。

方舟今年已經三十歲了，事業有成，風度翩翩，但卻一直單身。最近經不住老媽的狂轟濫炸，不得不答應老媽去相親。

得到了方舟的首肯，老媽便頻繁地給他安排約會，環肥燕瘦，卻都讓方舟沒有興趣。老媽依然樂此不疲，又給他安排了一次見面，老媽說，這次是一個百裡挑一的好姑娘，不但人長得漂亮，還是名校畢業的，一定能看對眼。每次老媽都會這麼說，方舟對這次見面也沒抱什麼希望。

這次老媽沒有騙方舟，這個叫蕭晴的女孩身材高挑，杏眼朱唇，的確很漂亮。方舟在心裡不知道誇了多少遍老媽有眼光。兩人談天說地，很是投機。服務員過來了，問他們點什麼菜，一向慣拿主意的方舟接過菜單就熟稔地點了幾個招牌菜，價格也自然不菲。

菜來了，色香味俱全。然而蕭晴卻沒吃幾口就藉故身體有恙離了席。第二天，介紹人的電話來了，說蕭晴覺得他們不合適。

方舟百思不得其解，自問那天沒有出什麼錯啊，怎麼會把事情搞砸了呢？後來介紹人才說出實情，原來那天吃飯的時候，方舟根本沒顧忌蕭晴的感受，點了一大桌子菜，大部分都是葷菜，而蕭晴喜歡吃素。

聽了介紹人的話，方舟後悔不及，都怪自己當時太激動了，不注意細節，錯失了大好姻緣。

經調查統計：男性一般吃的肉類比較多，而女性則蔬菜不離手。這是什麼原因呢？主要是男女的營養需求不同，男性要加，加體力，加精力；女性需要減，減年齡，減皺紋。從生理醫學上講：絕大多數女性所需要的卡路里比男性要少，而大部分女性都因為很少運動而存在熱量攝入過多的問題。所以，全麥食物、水果、蔬菜、低脂牛奶和瘦肉就備受女性的青睞。在越來越講究健康飲食的當代社會，男女膳食差別也越來越明顯。那麼，究竟吃什麼才能讓女人越吃越美麗，男人越吃越健康呢？

一、女性最需要的食物

豆腐：豆腐當然是保持女性美麗容顏的最佳食物。豆類含有豐富的蛋白質，可以降低膽固醇，還能將婦女更年期的潮熱反應減少到最低程度，同時有健壯骨骼的作用。所以，更年期的女人多吃豆類食物，大有益處。

木瓜：木瓜是一種熱帶水果，含有豐富的維生素C，一個中等大小，大約三百公克的木瓜，含有一百八十八毫克的維生素C，是人體補充維生素C的最佳來源。維生素C可以抵禦膽囊病，所以，患此病的人多吃木瓜有助於身體康復。

亞麻子：亞麻子富含一種雌激素的化合物，能有效地防止乳腺癌。據調查：在患有乳腺癌女性的食物中加入亞麻子，明顯地減慢了腫瘤的增長。

甘藍：甘藍除了富含鈣和維生素D之外，還有維生素K，維生素K對骨頭有很強的保護作用。多食甘藍，可以預防骨質疏鬆症。

鵝、鴨肉：對於對自己身材很在意的女人來說，鵝、鴨肉是肉食的首選，雖然鵝、鴨肉脂肪含量並不比其他肉類低，但其化學結構接近橄欖油，不僅無害，還有益心臟。

二、男人最需要的食物

番茄：男人多吃番茄有助於防止前列腺癌。比如說，番茄大蒜調味汁等。

牡蠣：科學證明，兩到三隻牡蠣就足以提供一天所需要的鋅元素和礦物質。所以，男性多吃牡蠣對身體大有益處。另外，傳說在所有的食物中牡蠣代表的可是愛情哦！所以，它也是一種浪漫的食物。

花椰菜：據哈佛最近一項研究顯示：花椰菜是最具有保護性的蔬菜。所以，平時應該多吃，它的做法花樣也多，比如說，花椰菜比薩、花椰菜大麥湯、花椰菜加馬鈴薯等。

花生：花生可以減少心臟病發作的危險，早餐時在烤麵包上塗點花生醬有助於心臟的健康。

西瓜：西瓜含有豐富的鉀元素，可以減少高血壓和中風的機率。男性到了五十五歲之後，大部分人都有高血壓，所以要常吃西瓜。

飯局制勝攻略

在飯局之上，你是不是還在為了自己的身材和健康猛吞口水，遲遲不肯下箸？詳細瞭解男女飲食差異之後，你就不必為此擔憂了，只要在吃飯之時知道什麼該吃，什麼不該吃，什麼對自己有益，什麼對自己有害，你就可以安心地在飯桌之上享受美食了。

將 老幼年齡有差，飲食各有標準

年紀較長者，講究食物的營養衛生，特別強調養生之道。

隨著年齡的不停增長，在不同的年齡所需攝取的營養成分也是不同的，不同年齡的人，由於經歷不同的社會環境，受過不同的文化教育，在赴宴時的欲望和心理方面也有著明顯的差異。一般來說，年齡愈大，對食物的承受範圍愈廣；年紀較長者，講究食物的營養衛生，能節制不良的飲食習慣，特別強調養生之道，所以，長壽老人無一不喜歡吃粥，歷代養生學家對老人喝粥都十分推崇，《隨息居飲食》說：「粥為世間第一滋補食物。」而青年人挑食、暴飲暴食，全憑個人喜好，無節制地吃喝。所以，在籌辦宴席的時候，年齡也是一個值得大家關注的問題，瞭解宴席的年齡跨度，才可以萬無一失。

小董最近忙得很，公司有新項目下來，這個時候女朋友的爸爸媽媽、爺爺奶奶又要來見這個未來的女婿，人家大老遠地趕過來，總有一番安排吧，這接風宴必不可少。

那天，他打扮的很有精神，先去飯店定了包廂，然後早早地就和女朋友去機場等候著。小董很合四個人的眼緣，特別是奶奶，拉著小伙子的手就說個不停，小董也很懂事地聽著，一點都沒有不耐煩的感覺，一家人其樂融融，女朋友看在眼裡喜在心上。

在飯店稍作休息之後，就去吃飯。菜上來了，女朋友卻傻眼了，一大桌子的傳統名菜，更有稀粥、豆腐、玉米等，女朋友不知道小董搞什麼鬼，不住地拿眼瞪他，他卻不以為意。

沒有想到的是，兩個老人卻直誇小董心細，知道他們喜歡吃什麼，連牙齒不好喜歡喝粥都想到了，老人高興地說：「以前在飯店裡從來都沒有吃飽過，看到一大桌子的菜卻無法下箸，有的咬不動，有的看著都沒有胃口，今天的每道菜都很合自己的胃口。」兩個老人吃高興了，爸爸媽媽也自然高興，小董也順利地過了關。

案例中的小董很是聰明，知道這是家庭聚餐，而不是談生意，一切從實際考慮，只點對的不點貴的，更是抓住了老人的飲食特點，準備得細緻入微，這樣用心，怎麼會讓人不滿意呢？下面我們就根據幾個不同的年齡段，來說說他們各自不同的飲食習慣吧。

一、少年兒童的飲食特點

少年兒童是指十八歲以下的未成年群體。因此在請客吃飯時，一定要注意客人所帶孩子的需要和喜好。例如應備有適當的幼兒坐的椅子、摔不壞的餐具、專為兒童設計的菜點、各種贈品(如氣球、圖畫、玩具、書籍等)、兒童音樂等。

低齡兒童對食物的注意和興趣一般來自於食物的外觀因素，如食物的圖案、包裝、色彩、造型等。另一方面，少年兒童對食物的認識帶有很大的模糊性，他們往往以「好看」、「我要」、感興趣等情緒因素為主，憑直觀、直覺、直感來決定飲食消費。隨著年齡的增長，尤其進入初中以後，開始對食物的品牌、知名度、風味和流行情況等表現出關心和興趣，至此少年兒童對食物認識的直觀性、模糊性開始下降。

二、青年人的飲食特點

青年是人生中從少年向中年過度的階段。一般來講，青年通常是指十八歲到三十五歲的人，處於這一時期的人往往是新食物、新的飲食消費行為的追求者、嘗試者和推廣者。在飲食消費時的表現是反應靈敏、醞釀短暫、決定果斷，在認為合意、值得的心理支配下，感情的作用超過計畫的預算，特別是在一些新潮、時尚、限量等食物的購買上，衝動性購買多於計劃性消費。

三、中年人的飲食特點

在我國，中年飲食消費者一般指年齡在三十五至五十五歲的人。中年人注意食物的實用性，不像青年人那樣更多地追求食物時尚，而是對食物的實用性及價格給予更多的關注，表現出計劃性強，具有較強的求實心理和節儉心理。

四、老年人的飲食特點

老年人一般指男六十歲以上、女生五十五歲以上的人。他們要求吃鬆軟易消化、富有營養的食物，他們最為關心的是延年益壽、身體健康和晚年生活豐富。由於感知能力的衰退和體力不足，在飲食活動中希望得到更多的關懷和照顧，這與他們行動遲緩、顧慮重重、嘮叨不斷等特徵相比，恰好是鮮明對照。請老年人吃飯最好選老字型大小飯店，點傳統的名菜、名點和名酒，以滿足老年人的飲食慣性心理的需要，同時也能喚起一些人對過去歲月的回憶，使其感到親切、可信。

飯局制勝攻略

讓每個與宴者高興而來滿意而歸才是最成功的飯局。老幼有別，飲食習慣也各不相同，所以，我們不要顧此失彼，讓宴會出現有的人撐死，而有的人餓死的情況。安排飯局的時候，要搭配得當，做到左右兼顧。

將

宴請分場合，餐廳級數有高低

宴請貴賓，餐廳環境可以顯示你對他的重視。

現代人講究「吃文化」，所以宴請不僅僅是為了「吃東西」，更注重吃的環境。要是用餐地點環境不佳，即便菜餚再有特色，也會令宴請效果大打折扣。因此，在可能的情況下，一定要爭取選擇清靜、幽雅的用餐地點，要讓與宴者吃出身分。商務宴請雖然吃的是「概念飯」，但是用餐的地點和場合的選擇是非常重要的，口味、環境、位置等，都是應考慮的要素。

宴請貴賓，可以到具有古樸裝修以及精緻菜品的高檔餐廳，那裡的環境、服務還是口碑應該都會讓其感受到你對他的重視；宴請喜歡歐式裝修風格的客人，精緻的西餐廳是個不錯的選擇；想讓客人在平和中感受一份大氣，滿庭芬芳的酒樓他應該會喜歡；想給客人呈上一次視覺盛宴，花園式的餐廳是個好去處；要是客人非常注重商務宴請的私密性，高級酒店很適合；如果客人喜歡時尚，那麼盡可以邀請他到時下流行的主題餐廳用餐。

商務宴請中菜品也是十分重要的。宴請喜歡葡萄酒或是對葡萄酒有研究的客人，可以選擇葡萄酒莊園；宴請喜好海鮮的客人，選擇專營海鮮的酒樓是最適合不過的了；要是客人想吃到最具專業精神的生蠔，不如到最好的海鮮館。

宴請時間可根據主辦方的實際需要而定，但也應該根據客人的活動妥善安排，同時還應考慮參加人員的風俗習慣。總之，訂餐標準的高低，直接影響宴會品質的優劣。

小韓是某公司的業務員，經過幾個月的努力磨合，幾次的交涉，終於拿下了一個客戶。簽完合約後，小韓不知道有多高興，總算前幾個月的努力沒有白費，為了答謝客戶的支援，小韓執意設宴款待這個客戶一番，客戶沒多堅持就答應了。

吃飯的地方很豪華，客戶也感覺到了自己的重要性，很是高興。但是，吃飯的時候客戶卻發現了一個問題，那就是餐桌上沒有一個是這個飯店的招牌菜，素菜也沒有一個是高價的時蔬特色菜。客戶看在眼裡，並沒有說什麼，心裡卻很不是滋味兒，看來小韓是把自己當成「煮熟的鴨子」了。

飯局過後，小韓和客戶談來年的合作計畫，客戶卻似乎不是很感興趣，百般推諉，最後乾脆說有的條件還有待商榷，一切等來年再說。第二年，當小韓去找該客戶尋求第二次合作的時候，該客戶卻說他們已經確定了合作對象。就這樣，小韓因為一頓飯失去了一個長期合作的重要客戶，真是得不償失。

重要客戶是公司利潤的主要來源，更是公司穩定發展的基本保障。對於重要客戶來說，東西好不好吃不那麼重要，重要的是吃東西的環境一定要好，要講究排場。因為講究排場才能說明對客戶有足夠的誠意和尊重。小韓的宴請失敗，就是因為他讓客戶覺得不重視自己，沒有合作的誠意。

飯局的目的不同，開銷也自然不同。聰明的人請客吃飯前都有一個算盤，錢要花的值，該下血本的時候決不眨一下眼，該節約的時候也要節約，鋪張不一定能達到目的，省錢也不一定丟了面子，看人下菜碟的做法是值得借鑒的。

一、邀請重要客戶

邀請重要客戶吃飯，首選五星級飯店或高級餐廳。一般來說，海鮮類餐廳、日本料理、法式大餐等常是首選。上述飯店通常環境高雅，裝修豪華氣派、富麗堂皇。而且，這些地方還有舒適的包廂、雅座，保證你與客戶的溝通不會受到外界的干擾。

二、邀請潛在客戶

如果是對待未來客戶，那麼一定要講究舒適。未來客戶是生意場上的潛在客戶，他們可能今天還不是你的財富來源，但是明天就可能讓你賺到錢。對於潛在客戶來說，接觸、交往和交流顯得更為重要。比如通過商務宴請，讓雙方放下戒備，敞開心扉。所以，定期宴請未來客戶不失為一個好選擇。對於未來客戶，尤其是不瞭解他對你將會有多大價值時，你可能不大願意為宴請而拋重金，像對待重要客戶那樣講究。但是，在宴請的安排上也要真誠相待，所選餐廳的位置最好有利於客戶出行，不太好找的地點最好就不要去了。對於菜可以不太貴，但應力求做到新鮮和獨特，比如嘗試一下新開的風味餐館，品嘗新推出的菜品，都是經濟實惠的選擇。

三、對待老客戶

一般來講，跟「朋友」客戶吃飯沒有那麼多的講究，選擇一般餐廳就可以了，但務必要口味地道、環境衛生。同時，畢竟是生意上的合作夥伴，所以，在宴請上仍然要讓對方感受到你的誠意，要講究情緒的渲染。如果雙方關係足夠親密，不妨邀請他到自己家中吃飯，經濟實惠，環境也肯定比餐廳要自由放鬆得多，對於雙方來說，家中吃飯更能加深瞭解和友誼，是簡單卻絕好的選擇。

除此之外，宴請客人還有一些其他注意事項，比如：官方正式、隆重的宴會一般應安排在政府的宴會場所或客人下榻的酒店內舉行；舉行小型正式宴會，宴會廳外應另設休息廳，供宴會前賓主簡短交談用，待主賓到達後一起進宴會廳入席；選擇一處彼此都喜歡的地點用餐，讓聚會中的每個人都有賓至如歸的感覺；請熟悉的人去不熟悉的飯店，請不熟悉的人去熟悉的飯店。對熟人（包括家人朋友），可以去以前沒去過的飯店嘗嘗鮮、探探路，熟人在一起就不必拘束，可暢心問價、臨時調換地點等。而請不熟悉的和重要的客人則要求對飯店的菜點、服務品質等了然於胸，這樣才能更好地為請客的目的服務，所以應該去一個熟悉的、信譽好的飯店。

總之，一切都要符合宴請對象的身分，以及你及時公關的需要，因為請客也是一種生意的延續、智慧的「較量」。

飯局制勝攻略

決定餐廳的好壞不是設宴之人決定的，而是由所求之事的輕重決定，越重要的事情，餐廳要安排在越高級一點的。請客戶吃飯，餐廳的安排適中即可，太過鋪張反而不一定對；在合作達成之後，適當地提高一下餐廳換高級一點的，這樣可以表示對雙方今後合作的感謝和信心。

宴前音樂，展現你的「格」與「調」

有時候，別出心裁的音樂，將賦予一場宴會特別的寓義。

提到餐廳的音樂伴奏，或許很多人首先想到的是，在優雅的西餐廳中，浪漫的情侶，在燭光中，聽著小提琴師的演奏，在浪漫的氛圍中，說著情話，用著佳餚。其實，在中國，古人們早已注意到了吃飯聆聽音樂伴奏所產生的效果。歷史上，帝王將相、達官貴人盛宴饗客時，無不彈奏絲竹管弦以助雅興。《周禮・天官・膳夫》云：「以樂侑食，膳夫受祭，品嘗食，王乃食，卒食，以樂徹於造。」這是說，周代君王在進食時，以奏樂來助興。而且，吃過了，還要在音樂聲中把未吃完的食物撤回到製作食物的地方（即廚房）。另外，在《楚辭》《詩經》中吃飯欣賞音樂也有跡可循，可見我國早在周代，吃飯欣賞音樂就已開始了。

德國著名抒情詩人海涅說過，話語停止的地方，就是音樂的開始。音樂是人類最抒情的語言，而這種語言，不僅能達到放鬆的目的，有時候，別出心裁的音樂，賦予一場宴會特別的寓義，如同一個情調師，還能帶給賓主特殊的安慰和感受。

那天是陳誠和妻子阿美結婚十年的紀念日，一起走過十年的風風雨雨並不容易，一路打拚，他們總算在這個城市有了自己的一點基業。本來打算在這個重要的日子裡和妻子也學學年輕人，出去吃個燭光晚餐，浪漫浪漫。沒有想到的是，早上兩個人卻因為一件小事而大吵一架，以陳誠摔門而去告終。

走出家門之後，陳誠就後悔了，想到妻子的各種好，更加覺得自己不應該發這個脾氣，但是，事情已經發生了，怎麼能補救呢？

在家門口徘徊良久，陳誠決定給妻子製造一個驚喜，以求得到阿美的諒解。一切準備妥當之後，陳誠給妻子的閨中密友阿芳打了個電話，讓她無論如何幫他把妻子給約出來。阿芳二話不說就答應了。

一個小時之後，妻子出現在陳誠約定的餐廳，當她看見約她的不是阿芳，而是丈夫的時候，臉上立刻罩上了一層寒霜。

陳誠很紳士地讓妻子入了坐，然後點了妻子最喜歡吃的菜。陳誠真誠地向妻子道歉，但是妻子並沒有完全釋懷。這個時候，一個小提琴師來到他們的面前，然後演奏起了周惠的那首《約定》，那是阿美最喜歡的一首歌，「一路從泥濘走到美景，習慣在彼此眼中找勇氣，累到無力總會想吻你，才能忘了情路艱辛，你我約定難過的往事不許提，也答應永遠都不讓對方擔心。」阿美不知不覺間跟著哼了起來，一曲奏畢，阿美在驚喜之餘剩下的只有感動，所有的委屈都在瞬間化為烏有。

看到妻子已經原諒了自己，陳誠才說道：「阿美，今天是我們結婚十年的紀念日，謝謝你十年的包容和諒解，在吵吵鬧鬧中，更加知道了彼此的重要，為我們幸福的十年乾杯。」

阿美的眼角閃著幸福的淚光，也跟著端起了酒杯。

環境優美，音樂悠揚，氣氛溫馨祥和，這樣的時候，也許鋼鐵都可能化成繞指柔了，更何況是女人柔軟的內心。有的時候，一曲音樂的意義已經超越音樂的價值，更是一種手段，一種調和心情的有力手段。音樂的移情作用非常明顯，用音樂調節情緒也廣泛被人們所利用。但音樂的選擇卻大有講究，文化不同，環境不同，要求也不同。

據研究，古典音樂可以選用歐洲十八世紀、十九世紀的器樂曲，如巴哈、韓德爾的鋼琴曲和小提琴曲、海頓的交響曲、莫札特的鋼琴協奏曲、蕭邦的小夜曲等。中國音樂一般選用江南絲竹樂曲、合奏曲等。這類音樂極為抒情、平和、優雅，富有親切、委婉的情調，音量變化適宜，且節奏合乎人的心率。大家知道，當音樂的節拍超過一分鐘八十拍（即人的心率正常範圍）時，人會感到心跳加快、心情緊張，這也是餐廳音樂不能採用迪斯可、爵士樂等節奏強烈的樂曲的原因。

美國《華盛頓郵報》曾報導過這樣一則消息，一富翁在餐館品嘗美味時，樂隊奏起瘋狂的爵士樂，富翁不由自主地想跟上快速的節奏，不慎被食物噎住，幾乎憋死。爾後，樂隊又奏起了輕柔的樂曲，徐緩、穩重的旋律神奇地起到了人工呼吸的作用，富翁才漸漸緩過氣來。

餐廳音樂除了考慮到節奏外，還要注意宴會的主題、賓客的審美能力和欣賞習慣等。朋友相聚，主題曲調應該明快、熱情；文人聚會的曲調應以優雅、平和為主；在招待外賓的宴會上，更應根據他們的愛好和民族習慣，選擇合適的樂曲，這樣才能使賓客心情舒暢，增加食欲，增進友誼。

飯局制勝攻略

隨著生活水準的提高，基本需求得到滿足，人們越來越注重精神享受。娛樂活動與宴會經營結合，滿足了人們的這種需求，使人們的享受更完美。娛樂活動具有消遣性、娛樂性，能有效地增加宴會熱烈歡快的氣氛，人們經由娛樂活動來表達自己的情感，述說心事，溝通感情，唱得開心，舞得盡興，宴請的目的也就水到渠成。在宴會的性質及預算允許下，你安排一些特殊的餘興節目，就有可能成就一次溫馨、感人的宴會。

第五章

菜是飯局之主，豈可亂點

有人說：「點菜如點兵。把握不好，全盤皆輸。」這話一點都沒有錯，點菜看似簡單，其實是值得人們探討的一項很複雜的工作。有時飯桌如戰場，要想贏得這生意之戰，半點都馬虎不得，一桌完美的菜點，不僅要組合好使賓客滿意，還要考慮價格的高低。所以，點什麼菜、讓誰點菜、如何讓各個菜品搭配得相得益彰，都是一門精深的學問。

點菜難，難於上青天

點菜除了識風味、識新鮮、識組合，還要識價格！

點菜是一門學問，講究時令、風味、價格、原料以及組合，等等，如果菜品安排太少，就有怠慢客人之嫌；反之，安排得過多，又會造成浪費。如果所安排的菜品，色澤一致，口味一樣，盛器相同，又會得到單調無奇的評語。儘是葷菜，太過肥膩；儘是素菜，有清淡之嫌。請客吃飯，點菜確實是件最令人頭疼的事情，所以，有人說點菜難，幾乎「難於上青天」。究其原因有以下幾點。

首先，中國菜的種類多。中國菜經過五千年的文化累積，其品項種類極其豐富多樣。不同的飯店有不盡相同的菜餚。就一個飯店來說，其菜餚的數量也有幾十種，甚至上百種、上千種。這麼多的菜，對於一般人來講，真的會眼花繚亂，不知怎麼點菜才能吃得好。面對厚厚的菜單和各種菜名，要吃出點新鮮來，還真讓人為難。

其次，當吃飯成為了一種應酬，不再是為了解決溫飽之後，點菜更成為一件頭等重要的大事。眾口難調，要做到面面俱到，實現賓主盡歡樂，確非易事。這個時候點菜不但需要廣博的知識，豐富的經驗體會，還要會察言觀色，懂得人情世故。

最後，中國人講究人情和面子。如果你做東，當然要在客人面前把面子做足，通常會很豪爽地說：「想吃啥，隨便點！」請客的人愛讓客人點菜，但是客人也有客人的難處，上來就點龍蝦鮑翅那也有點太不客氣了；如果只點個炒青菜或豆腐之類的，又顯得很寒酸，也等於是不給主人面子。

丹丹去年剛畢業，她和班上的兩個同學一起簽到了一個海濱城市，本來不是很好的朋友，但都獨在異鄉，也沒有什麼親人，有同學在一個城市工作當然不是親人勝似親人了。所以，休假的時候三人就會聚一聚，一來二去，都成了朋友。

這天是丹丹過二十三歲生日，自然免不了要請兩個好朋友吃飯。到了餐館之後，丹丹忙招呼兩人坐下，然後說：「別客氣啊，隨便點，今天我生日，圖的就是高興，想吃什麼點什麼。」

於是，兩個朋友便開始點菜。其中一個好朋友很體諒丹丹的實際收入水準不高，又考慮到現在正是月末「糧緊」的時候，便隨意點了兩個一般價位的菜，但另一個好朋友聽了丹丹的話後便回答說：「那我就不客氣了。」然後毫無顧忌地專點自己喜歡吃的，根本就不管後面的價格。

菜點好了，有的菜價格很昂貴。丹丹看了菜價後，表面上雖然不動聲色，心裡卻想：「你這人還真『實在』，還真把我當凱子啊，專挑貴的點，再請她幾回我就得喝西北風了，以後請客吃飯再也不叫她了！」

也許丹丹的這位朋友是真的不懂人情世故，也或許她原本就是抱著「宰」丹丹一頓的想法赴宴的，但是，不管怎樣，她這樣點菜確實把丹丹嚇到了，相信很難再有下一次了。在宴會中，點菜相當重要，菜點得好不好，直接關係到宴會的後續發展。為了讓大家成為點菜的高手，下面向大家介紹幾種點菜的「硬功夫」，相信對大家會有所幫助。

一、明確宴請的目的

宴請的目的非常多樣，有正規待客的，有好友相聚的；有兩情相悅的，有閑極無聊的；有論功行賞的，有籠絡感情的，林林總總不一而足。總之，不同的目的決定了不同的菜色，所以點菜首先要明確宴請的目的。

二、瞭解對方口味

點菜要看人來點。俗話說，知己知彼，方可百戰不殆。所以掌握同席之人的口味乃點菜之先。選菜不應以主人的愛好為主，而要考慮賓客的喜好與禁忌。作為宴請的你要記住：你是請別人，你自己的口味是次要的，對方喜歡就好。

三、注重特色

特色菜又叫招牌菜，一般是餐廳用來吸引客人的拿手菜，味道不錯，菜品巧妙搭配價錢也不會太貴。每到一個不熟悉的餐館，不妨先問問有什麼特色菜，這樣就可對該餐館心中有數，點菜有底。

四、巧妙搭配

點菜時要注意巧妙搭配菜色。以中國菜為例，並不要求每個菜都出色精彩，但講究一桌菜的五味俱全，且要搭配合理，鹹淡互補，鮮辣不克，讓每種味、每道菜都發揮到極致。菜餚應強調葷素、濃淡等多種烹調方法搭配儘量不重複。

五、尊重買單的人

如果是別人做東，要記得為對方留點餘地，多為對方著想，不要點太貴的菜，不能因為是別人付錢，就盡情地點，這是很不禮貌的行為，還會造成鋪張浪費。改天若是換成自己做東，別人一定也會存有報復你的心態，那就得不償失了。另外，當對方問你要點什麼的時候，必須先將自己的決定告訴對方，而不是服務員，否則對方會覺得不被尊重，場面也會很尷尬。

飯局制勝攻略

不管是自己請客，還是別人請客，只要識風味，識價格，識新鮮，識組合，就不會在點菜環節中做出什麼太出格的事，宴會也會在輕鬆愉快中完滿結束。

誰是最合適的點菜人選

一般情況下，都應該是主人或老闆來點菜比較恰當。

假如把餐桌比喻成戰場，那麼「點菜」絕不亞於戰前的「點兵」。點菜是個人飲食文化的集中表現，融合了地域風格、個人品味，其中大有學問。在餐桌這個戰場上，到底誰來點菜更合適呢？一般情況下，都應該是主人自己點菜。

落座之後，拿起菜單，先禮貌地讓客人過目，如果他點了，你就可以省去這個麻煩，儘管掏錢就是了；如果客人象徵性地點了幾個，為了表示尊重，你一定要加上兩個稍微貴點的；如果客人謙讓點菜權，主人也不必過於勉強。主人點菜的時候要根據客人的喜好點菜，先問忌口，問主賓有什麼不吃的，參加的作陪有些什麼忌諱沒有。點菜時，還要禮貌地徵求一下客人的意見。

有的時候，主人也會讓陪客點菜，陪客一般是主人的親朋好友，或者是下屬，他瞭解主人的目的和意圖，請客吃飯時，受主人委託，也可以行使主人的點菜職責。如果陪客在不知道主人意圖的情況下點菜，那可要費一番心思了，怎樣才能做到賓主盡歡呢？

林子強是某公司的業務代表。工作不到兩個月就被總經理拖出去陪客戶吃飯。這天，幾個部門裡的經理都出差在外，於是，總經理就把林子強給拉上了。林子強的心裡一直忐忑不安，一方面竊喜有如此殊榮擔此重任，一方面又怕應付不當給公司丟了臉。當到了飯桌上，總經理把菜單轉到他面前的時候更是慌了神。

這是他第一次在正式場合點菜，雖然強作鎮定，依然手心冒汗。心裡不停地掙扎，不知道究竟是點魚翅鮑魚才配得上客戶身分，還是隨便點幾個菜充充場面即可，萬一點貴了總經理會不高興，覺得自己不會替公司著想；萬一點便宜了會讓總經理沒面子；客戶也會不高興……好不容易才心驚膽戰地點了幾個自認為還很安全的菜，長舒了一口氣之後，他把菜單遞給了總經理，問他還需要什麼別的菜，以及需要什麼樣的酒。總經理順手接過菜單，林子強如釋重負。沒有想到的是，林子強那次點的菜很合大家的胃口，飯後總經理還誇了句：「沒想到你還挺會點菜的呀。」這讓林子強信心倍增。

在以後的應酬飯局中，總經理時常把林子強帶在身邊，點菜的時候，林子強便總把最後的決定權交給總經理，一來說明他眼裡尊重總經理，沒有自始至終自作主張，二來也讓總經理對這個飯局的預算心裡有個底。就這樣，總經理在誇林子強聰明的同時，也越來越信任他了。林子強成為了部門裡升遷最快的新人。

林子強作為一個陪客，他是下屬，在毫不知情的情況下拉去赴宴，並接下了點菜的重任，真的有點左右為難，總經理的心思誰知道呢？一邊是老闆，他得罪不起，另一邊是客戶，他更得罪不起，他們可是公司的衣食父母。在這樣的情況下，林子強選擇了折中法，點幾個不高不低、適合大眾口味的「安全菜」，然後把「皮球」踢給老闆，這招做的夠聰明。人生在世，有社交就會有飯局，一般情況下主人都是點菜的最佳人選，但是，在有的飯局之上則會打破常規。

一、有老闆的飯局

不管是誰設的飯局，如果有老闆在場，往往是老闆決定大家吃什麼菜，一個人說了算，作為屬下通常都會附和著說「都行都行」、「什麼都行」，將選擇權拱手讓出。當然，也有老闆在吃飯的時候，儘量徵求大家的意見，想吃什麼就說，或者索性什麼都不管，將權力下放，讓下屬去點菜，畢竟吃飯不是什麼原則問題，輕鬆一點才好。但是，如果在有老闆的飯局之上，還是應該由老闆點菜，這也是職場中飯局上你應該明白的潛規則。

二、有女賓的飯局

社會不斷進步，女性地位也在不斷地提高，在當今世界，除了少數地方外，在一些較正式的場合，「女士優先」這句話可以說是放諸四海而皆准。男女在餐館、飯店約會，點菜時應讓女士先點，尊重女士的意見。如果女士對菜色熟悉，那就大大方方點好了。當然，點菜的時候還是要徵詢一下男士的意見。但如果不熟悉菜色、西餐的點法，或者是菜單全是英文，無法看懂，女士可以坦率而誠懇地說：「你來點吧，你熟悉，我相信你點的菜很美味。」這樣既不會尷尬，又顯得有禮貌、有修養。

三、有親朋好友的飯局

有親朋好友的飯局是最輕鬆自如的飯局，點菜吃飯是個人行為，和工作沒有任何關係，每個人都有自己的機會和選擇權，不必有太多的顧慮。所以，這個時候，大多實行輪流點菜，一人點一個自己喜歡吃的即可。不過，如果大家都不愛吃你點的那道菜的話，你就有責任吃掉二分之三，這是遵循不浪費原則。

如果不喜歡點菜，也可以請餐廳老闆或服務人員幫忙配菜。如果當著客人的面，不方便講要花多少錢時，可以通過特定的辭彙，比如「來點家常菜」、「來點清淡爽口的」，這是暗示配菜的人自己不想消費太高，而「有什麼山珍海味」、「來點海鮮」，則是暗示配菜的人你請的是貴賓，並不在乎花費多少。這樣配菜的人會讓你既有面子，又不會「荷包大出血」，這讓我們省去了很多麻煩。所以，當不想為點菜勞心費神時，把你的消費標準、客人的喜好等基本要求告訴配菜的人後讓其代勞也未嘗不可。

飯局制勝攻略

如果實在懼怕點菜的麻煩，包桌套餐是避免點菜之憂的最簡單的方法。包桌套餐是飯店規定的一桌飯菜需要多少錢，飯菜由飯店根據錢數來確定，一般價格適宜，而且搭配得當，所以，不會出什麼差錯。

點菜的技巧和方法

點菜時注意眾人口味，菜餚也要高、中、低不同檔次的搭配。

點菜是宴請活動最關鍵的一環，是成功宴請的必要條件。點得好，色、香、味俱佳，滿堂生輝，賓主歡愉；點不好，往往白花了許多錢卻討不到好。因此，在宴請之前，主人最好是客人到之前先有一個安排。但是，我們都是凡人，總不能每次都未雨綢繆、先人一步吧？總會有意外發生，面對突如其來的飯局，沒有一手點菜的硬功夫，往往會把自己陷入尷尬的境地。飯局越來越重要，會安排飯局，會點菜也變成了一項生存技能，因為不會點菜而丟掉職位的事情還真不是新鮮事。

夏雪大學畢業後在一家公司當祕書。一天，老闆準備宴請新來的員工，於是讓她去餐廳預訂包廂並點菜。到了餐廳，服務人員很熱情地為她遞上菜單，面對眼花繚亂的菜單，她真不知道點什麼菜好，點太貴的菜，怕老闆說浪費；點一般的菜，又怕老闆說太小氣，夏雪簡直是左右為難。

把菜單從頭翻到尾，夏雪依然沒有頭緒，急得直撓頭，看到手足無措的夏雪，服務人員大秀推銷之能事，把夏雪忽悠得暈乎乎的，於是就按服務員推銷的菜胡亂點了一通。結果，因為搭配不當，許多菜無人問津，浪費了不少。第二天，老闆把夏雪叫到了辦公室，夏雪看老闆的臉色很不好，忐忑不安。

「小夏，作為一個祕書，安排飯局是最基本的一項工作，而你卻辦得一塌糊塗，昨天幸虧請的是自己人，如果是客戶，弄不好生意就會泡湯，那將是公司的損失，我覺得你不適合祕書這一職位，明天會給你安排新的職位。」老闆說。

夏雪從老闆的辦公室裡垂頭喪氣地走了出來，因為一個飯局丟了職位，真是夠冤的。

夏雪冤嗎？一點都不冤！正如老闆所說，安排飯局是祕書最基本的工作，連最基本的工作都做不好，那麼，怎麼能讓人不懷疑她的工作能力呢？

飯局能看出一個人的素質，點菜也是一個人工作能力的展現，那麼，怎麼才能夠像專業的點菜師一樣點出讓人滿意的菜呢？下面就根據不同情況交給大家幾個點菜的技巧，讓你以後在籌備飯局的時候，能夠信手拈來，辦出一桌漂漂亮亮的宴席。

一、瞭解眾人口味

知己知彼方可百戰不殆，掌握同席之人的口味是第一步。在點菜前一定要先問問桌上同餐者有沒有什麼人有特殊忌諱，比方說素食者、不食牛羊肉者、不吃辣椒者、不吃海鮮者等。做到心中有數，點菜時就可以兼而顧之，不會有人大快朵頤，有人停箸默然。另外，酸、甜、苦、辣、鹹各種口味菜餚的搭配要儘量照顧到大多數用餐者的喜好。

二、注意營養搭配

從營養的角度來看，要注意膳食平衡，即注意穀、果、肉、菜、豆等各類食物品種齊全、比例適當。根據用餐者的年齡、個人嗜好、身體狀況及用餐季節，點菜時應注意葷素搭配、軟硬搭配和冷熱搭配。對海鮮、畜肉、禽肉、豆類及其製品、蔬菜及水果等應全面考慮，但要注意肉類不宜太多。在重視飲食營養的今天，一定數量的素菜是必不可少的，菜餚中應有三分之一以上是綠色蔬菜和豆製品。這樣可以通過葷素搭配保證營養平衡，在色澤和口感上也有新鮮感。若是擔心素菜顯得不夠「高檔」，可配些草菇、香菇、蝦仁等增加「美食感」；軟硬搭配主要是考慮照顧好老人和小孩，另外注意油炸食物不宜太多；如果用餐者中有病人，如患有高脂血症、糖尿病等疾病者，應注意點一些低脂、無糖、高纖維素的菜，並且注意冷菜及冷食不宜過多。

三、注意菜色搭配

中國人吃飯講究色、香、味俱全，所以，菜品的整體色彩搭配效果要清爽誘人。

四、點菜的數量

如果是兩人共餐，其中有女性，可以點一葷一素兩個冷菜，或加上一個鹵水菜餚，再點一個高檔的蔬菜、一個海鮮、一個葷素小炒即可。如果是那些注重飲食營養的人，各自再加一個小燉盅就可以吃得風光而體面了；如果是與生意上的客戶共進晚餐，在雙方不熟悉的情況下，點菜點得恰到好處，涼熱葷素、雞鴨魚肉搭配得當是非常關鍵的問題。一般工作餐會是三五成群，所以點的冷菜不僅要有海鮮、鹵水，最好還要有一些別緻的小菜。而熱菜要有一道高檔海鮮，外加兩道葷素小炒，一道帶肉主菜，一道清口蔬菜，湯煲、點心、水果各一道即可。

千萬不能有「我有的是錢，我點的菜吃不完有什麼關係」這種想法，如果菜吃不完，不但是浪費食物，這樣對餐廳和客人都是一種不禮貌的行為。

五、點菜的順序

中餐宴席菜餚上桌的順序，各地不完全相同，但一般普遍依循下列六項原則：先冷盤後熱炒；先菜餚後點心；先炒後燒；先鹹後甜；先味道清淡鮮美，後味道油膩濃烈；好的菜餚先上，普通的後上。一般情況下，點菜也要遵循這個順序。所以，點菜時，首先注意一定要先點上幾個涼菜，以免桌上空空蕩蕩。

要想成為點菜高手，不是那麼容易的事情，也許我們一下子無法達到點菜的至高境界，畢竟我們既不是專業的點菜師，也不是天天琢磨研究點菜之道，但我們可以學習上面的點菜方法，瞭解點菜的一些注意事項，在點菜前多瞭解即將參加宴會者的喜好與忌諱。相信用不了多久我們也可以像專業的點菜師那樣點出令眾人滿意的菜品。

飯局制勝攻略

點菜時也要注重高、中、低不同檔次菜餚的搭配。根據經驗來看，十個人聚餐，高檔的菜餚只要二到三個就可以了，而且其中最好有一個是其他飯店不常做的菜。在低檔菜中選取該飯店的一些特色菜，這樣能給予赴宴者留下深刻印象，主人也不失體面，進而達到賓主盡歡的目的。

不要陷入點菜的陷阱

如遇收費不合理，除了要當即指出外，還要向消費者保護協會投訴。

主辦一次成功的宴請，是對你社交能力的考驗。除了要考慮選擇什麼樣的餐廳，是否有停車位，怎麼排座位，如何把握氣氛、調動來賓情緒？男女客人之間的交流、主客之間的溝通之外，更要防止自己掉進點菜的陷阱，否則，自己當了冤大頭，還不能讓客人盡興而歸，那樣你就有可能達不到宴請的目的。

小文和他的客戶一直都聯繫緊密，沒有合作的時候也會時常打電話問候一下。這天有個外地客戶突然來訪，平時在電話裡他可沒少吹噓當地的美食，這次人家既然來了，當然要請他嘗嘗傳說中的特色風味了。

於是，那天客戶到來之後，小文帶其去了附近的一家餐廳用餐，進入包廂之後，剛入座，服務員就熱情地遞上了菜單，不容小文細細挑選，服務員就當著客戶給小文指點「光明大道」，把「推銷」發揮到極點：「先生來個清燉甲魚，或者蔥炒膏蟹，要不要來個綜合生魚片，還有本地龍蝦、東星石斑魚……」每個菜都上千元，小文拗不過服務員的三寸不爛之舌與死纏濫打的招數，又礙於面子，依著服務員點了本地龍蝦和東星石斑魚，結果端上來的龍蝦明顯不新鮮；東星石斑魚則足足有兩斤半重，分量太多肉質如柴、如同嚼蠟。

本來做了冤大頭的小文，開始還強裝笑臉，現在卻非常地懊惱，本以為五千元可以搞定的午餐卻花了近萬元，客戶也說這家餐廳不新鮮，讓小文心裡很不高興。

點菜時，服務生一般會極力推薦最貴的菜餚。如果你對餐廳比較陌生，只需聽聽該店的特色菜是什麼，哪個菜賣得最好，口味和價格是什麼即可。對於服務生反覆再三，格外賣力地推薦最好拒絕，其中必有問題。比如積壓的死魚爛蝦會在服務員死纏爛打的推薦下，不知不覺端上你的餐桌，除了推銷陷阱之外，還有很多陷阱也是讓人防不勝防的，下面就給大家列舉幾個。

一、狸貓換太子

這個月的業務做得不錯，小林的獎金不菲，於是想叫上兩個好友去酒樓裡好好吃一頓。選了三隻肥蟹，服務員當著她的面過秤，一共九百八十公克。然而，當服務人員把做好的蟹端上來的時候，小林卻發現自己挑選的蟹個頭小了很多，即使是蟹蒸熟了會有一些損耗，也不致縮水到這個地步吧？很顯然是在製作過程中被偷換了。小林認定自己的蟹被掉了包，店家卻死不承認。偷樑換柱是不肖餐廳坑顧客最常用的伎倆，他們往往採取將大換小、以死換活等伎倆欺騙消費者，特別是水產、海鮮等貴重菜餚，用餐時一定要注意。但這種事也真的是防不勝防，還要靠店家自覺、自律，莫非要顧客還跟進廚房看著廚師不成？

二、帳單出錯

那天，小艾和男朋友請一干姐妹吃飯，點菜的時候小艾粗略估計了一下，也就二千多元的樣子，飯後結帳的時候卻發現他們卻吃了將近三千元，在他們的再三要求下，服務員才拿出菜單核對，每份菜的價格都要比價目表上高到一百到二百塊錢。小艾非常氣憤，店家卻輕描淡寫地說是寫錯了。一兩道菜失誤還算正常，每道菜都寫錯了，分明是故意的，面對店家的狡辯，小艾心裡很明白是怎麼回事，也沒跟他計較，只是心裡決定了，以後再也不到這家飯店吃飯了。

一般結帳的時候，很少有人會去核對帳單，這就給了一些不良飯店可乘之機，借此故意多收、多算，消費者發現時就以算錯為由推脫責任。特別對待一些酒足飯飽、醉意闌珊的顧客，飯店往往會多計酒水。酒瓶已被服務員收走，多收的無法對證，只能吃啞巴虧。所以，消費者點菜時一定要看清菜單以及所點每道菜的單價，結帳時務必仔細核對菜價、酒水數量。

三、**單位概念模糊**

平時杜鑫是很少和妻子去下館子，因為兩人都是上班族，要想在這個城市買一套房，不得不精打細算。這天正好他升了職，這樣的喜事當然值得慶賀，於是破例和妻子去了火鍋店，準備好好吃一頓。翻開菜單，點了幾個菜之後，杜鑫問魚是怎麼賣的，服務員指著菜單，見上面標著「九十元」的字樣，杜鑫問道：「是九十元一斤嗎？」服務員回答：「是！」杜鑫覺得還不貴，好不容易和妻子出來吃一次，就要吃點好的，於是說：「那好吧，給我們來一斤。」一菜上齊了，杜鑫和妻子大快朵頤了一番，吃完結帳，問題卻出來了，原本九十元的魚變成了九百元。杜鑫讓店家解釋是怎麼回事，店家說我們的價格是按每兩計算的。杜鑫問當時怎麼不說清楚，店家說一切以菜單為準，杜鑫氣極，本來想好好吃一頓飯，結果是給自己添堵。

有關專家指出，利用單位換算和群眾習慣的消費心理，設陷阱，套顧客，玩「斤兩」把戲，是一些不法經營者常用的一種手法。除此之外，有些飯店以小盤為單位標價，服務員卻故意推薦大盤或中盤，等消費者結帳時才會發現需付的金錢遠遠超出了心中的預算。

四、隱性收費

老唐是個老教師，他的很多學生在社會上的成就都還不錯，這天是老唐的六十七歲生日，幾個學生一起來看望他，老唐非常高興地帶著學生送的高粱酒一起去吃飯，這頓飯大家都吃得很高興，但結帳時老唐卻惹了一肚子不高興。原來，餐廳提供的茶每人茶資五十元，花生、瓜子小菜每碟五十元，連自己帶的高粱酒都被收取了二百元的開瓶費，而這些沒有人事先告訴老唐。

許多餐廳提供的東西都是要收費的，一般是按人頭計算的，這消費者自己心理要有準備。

飯局制勝攻略

消費者到餐廳消費時，不但要聽，更要認真地看；不僅要看點過菜的菜單，更要看每道菜後面的價格，包括酒水的價格。要在消費前弄清自己所要消費的價位，不要給不法經營者留下可乘之機。

切勿因點菜失了風度

只有讓對方吃得盡興，你才有可能達到宴請的目的。

有些人請客吃飯，喜歡貪圖小便宜，進門就問：「今天有什麼又好又便宜的特價菜啊？」弄得一旁隨同前來的客人直皺眉，客人心裡想：「難道說，我在他心目中是那種只配吃特價便宜菜的人？還是說，他原本就是個貪圖小便宜、目光短淺，又毫無生活品質的人？看來我得重新考慮跟他合作（交往）的事情了。」這場飯局才開頭，你就讓對方心裡有了疙瘩，那麼，接下來你原本想借由飯局進一步與對方加深關係的目的也就落了空。

提倡勤儉節約、拒絕鋪張浪費是宴會一貫主張的原則，但是，這需要講究技巧，而不適宜大張旗鼓地表現出來，或是讓對方察覺出來，否則就成了小氣吝嗇的表現，直接影響對方對你的看法，甚至會打消對方原先打算與你交往的想法。可能因小失大，得不償失了。

洪國濤高高瘦瘦，斯斯文文，小伙子長得秀挺帥氣，一看就是很討女人喜歡的那種人，但是，他卻一直沒有女朋友，不是他不想找，而是他和一個女孩總是交往不到一個月就吹了。也許大家都以為是洪國濤花心，其實不然，洪國濤對每一段感情都非常認真，但是總是逃不掉被甩的命運。眼看年齡越來越大，洪國濤自己都急了，親朋好友也忙著為他張羅。在姨媽的介紹下，洪國濤認識了一個年輕漂亮的姑娘，兩人對彼此的印象都不錯，於是開始約會。

那天，是他們第一次單獨約會，老天爺為了渲染氣氛，零星地下著小雨，他倆沒有撐傘，沿著林間小路邊走邊聊，空氣裡彌漫著戀愛的氣息。他們從學生時代一直聊到現在的工作，兩人越聊越投機，雨也越下越大，兩人便走進了路邊的一家餐廳。一個原因是為避雨，另一個原因就是吃飯時間也到了，邊吃邊聊容易增加感情啊！

洪國濤剛坐下，便四處打量起來。這是一家西餐廳，看那裝潢設計就知道價格不會便宜，翻開菜單一看果然如此，洪國濤連忙對姑娘說：「這家餐廳太貴了，我們在這吃不划算，不遠的一條街上有很多家常菜館，經濟又實惠，要不我們去那邊吃吧？」姑娘皺皺眉說：「話是不錯，可是外面的雨太大了，一出門我們都得濕透了，還是就在這裡吃吧。反正也不是天天來，就當奢侈一回了。」姑娘說完還故意眨眨眼，笑了笑。

於是，洪國濤只好心不甘情不願地開始點菜，他問服務員說：「這個牛排怎麼那麼貴啊？沒有便宜的嗎？」服務員說：「對不起，先生，我們這是上等的菲力，您吃了一定會覺得物超所值的。」「那這個濃湯呢？量有多少啊？」「這……」洪國濤一個一個地問，服務員一個一個地答，而姑娘的臉色愈來愈難看。最終洪國濤點了最便宜的麵包和濃湯給自己，給姑娘點了一份牛排。

接著，在吃飯的過程中，洪國濤一直在念叨「虧了、不划算」之類的詞，聽得姑娘火了：「你別牢騷了行嗎？不就是貴了點嗎？我們各付各的不就得了嗎？需要一直念嗎？」洪國濤見姑娘誤會了，趕緊解釋說：「我不是這個意思，我只是覺得這樣有點浪費。」姑娘說：「算了，你這個人太小氣，別不承認了，你不就是覺得我倆還沒交往，你請我吃大餐太虧嗎？算了，這頓我們各付各的，以後也別見了，難怪你一直找不到對象呢！」姑娘說完放下錢起身就走了。

洪國濤只是太過勤儉節約，覺得這樣浪費沒有必要，結果卻撿了芝麻，丟了個西瓜，實在是一樁「虧本」的「買賣」啊！請客吃飯不同於平常吃飯，節約是應該提倡的美德，但請別人吃飯你必須考慮對方的感受，對方喜歡什麼，想吃什麼，只有讓對方吃得盡興，你才有可能達到宴請的目的，否則很有可能落得像洪國濤的下場——竹籃打水一場空，還可能影響你的形象，給對方留下「小氣吝嗇」的印象。

飯局制勝攻略

現在這個社會，生存壓力越來越大，作為一個男人，要節省沒有錯，但是該大方的時候還是要大方一點，如果在飯桌之上給人留下吝嗇、小氣的印象，導致社交失敗，則就得不償失了。

第六章

中國式飯局，禮儀之邦的最佳詮釋

中國人注意禮節，飯局之上尤其如此。大多數人赴宴的時候都會有種壓抑感。有這種感覺並不是因為那些無禮的服務生，也不是因為深不可測的菜單，而是因為不確定自己的舉止是否得體，如果不懂禮儀會使個人形象大打折扣。擁有良好的教養和生活品味，才能「餐」出您的風度與端莊。

應邀赴宴應有的禮節

在接到邀請的那一刻，就該表現出良好的風度和素養。

中國是禮儀之邦，而飯局宴會則是最能展現禮節的場所。從我們接到邀請的那一刻起，一舉一動就關乎禮節問題。在你接到宴會邀請後，不管是請柬還是邀請信，無論你能否出席都應該儘快答覆對方，以便主人安排，這是對主人最基本的尊重。

一般來說，如果請柬上注有「R．S．V．P.（請答覆）」字樣，你無論出席與否，均應迅速答覆；如果請柬上注有「Regrets only（不能出席請複回覆）」字樣，則不能出席時才回覆，出席的話就可以不回覆。經口頭約妥再發來的請柬，上面一般都注有「To remind」字樣，這是「備忘」的意思，只起提醒作用，可不必答覆。答覆對方，可打電話或覆以便函，但只要回覆都應該保持儘早、及時的原則。當你接受主人的邀請之後，就不要隨意改變出席計畫，如果遇到不得已的特殊情況不能出席，應儘早向主人解釋、道歉，甚至親自登門表示歉意，尤其是主賓。

為了避免走錯地方、穿著太過隨意，或主人未請配偶卻雙雙出席的尷尬，應邀出席一項活動之前，要核實宴請的主人，活動舉辦的時間地點及地點線路圖，是否邀請了配偶，以及主人對服裝的要求。

周黎之要參加客戶的六十歲壽宴，妻子詹麗玉悉心為他準備。「老公啊，章老的六十歲壽宴肯定是家宴的成分居多，你就穿得簡單點，這樣可以跟他的家人打成一片。」周黎之點點頭。

那天，公司臨時出點事情，周黎之不得不親自處理，匆匆忙忙處理完畢之後，拿出請柬一看時間還來得及，可是他對那個什麼麗豪大酒店卻沒有什麼印象，貌似是個新開的大酒店，「章老也真是的，不知道去那些老地方，駕輕就熟的好找，弄個什麼麗豪的，還不知道在哪裡。」周黎之不禁抱怨起來。抱怨歸抱怨，還是得想辦法，在手機上查了一下酒店的大致地方，然後開車過去，由於路況不熟，再加上一路堵車，周黎之還是遲到了半小時。

誰知到了宴會現場，周黎之才發現與宴的商界人士都是盛裝出席，而且很多人都跟自己有生意上的往來。客戶錢小姐說：「呦，周總，你好時尚啊！現在嘻哈風盛行，你這條牛仔褲可是限量版哦！」

周黎之轉頭看著壽星章老和幾位業界老前輩不敢苟同的眼神，心涼了半截兒，這次宴會自己栽大了，遲到不說，還穿成這樣，以前在客戶面前好不容易建立的形象看來會毀於一旦了，周黎之真想找個地洞鑽進去。

出席宴請活動，抵達時間遲早，逗留時間長短，穿著打扮反映了對主人的尊重。周黎之這次不但遲到，還穿著過於隨意，這簡直是雙重罪過，難怪他想找個地洞鑽進去。其實，找地洞躲起來也不是辦法，最重要的還是要吸取教訓，在參加宴會的時候仔細斟酌，力求做到萬無一失。那麼，具體應該怎麼做呢？

一、嚴守時間

參加宴會的時候，遲到和早退都會被視為失禮或有意冷落的行為。那麼，怎樣來把握這個時間呢？出席宴會，根據各地習慣，正點或晚一兩分鐘抵達；在我國則正點或提前兩三分鐘或按主人的要求到達；出席酒會，可在請柬上注明的時間內到達。如果遲到，要進行解釋道歉後方可入席。一般情況下身分較高的人可以略晚到達，而身分普通的客人最好是略早到達，主賓退席後再陸續告辭不為失禮。

二、赴宴時應注意儀表整潔

在各種場合，穿著是一種禮儀，而在不同的社交宴會時，符合個人特質的品味裝扮，自然地散發出自信風采及內斂的涵養，而這種屬於你才有的獨特魅力，將使所有人讚歎。不論男士或女士，裝扮自己時一定要有整體觀念。尤其是利用餐桌這個舞台來推銷自己的時候，因為長時間暴露在別人觀視之下，自己身上任何細微末節的優點或缺點，都難逃他人的察覺，更應該處處留意，事事細心。

以參加正式餐宴來說，髮型、化妝品、服裝、飾品的使用與搭配固然重要，但皮包、皮鞋、襪子、香水，乃至於手錶和肢體語言的講究，也是同樣重要，否則就有「美中不足」之感。男士們也是一樣，穿著得體了，如果指甲沒修乾淨，或手錶與戒指搭配俗氣，仍然像「打領帶的猴子」。

三、見面的招呼和寒暄

打招呼就是向對方表示一些良好祝願或歡迎的話。對人親切地問候，是增加生活樂趣的一種禮儀形式；對熟人不問候，或者不回答別人對你的問候，都是很失禮的行為。在餐廳見面，打招呼最簡單的話是一聲「您好」。除了打招呼外，寒暄也很重要，見面寒暄，可以瞬間拉近彼此之間的距離。

飯局制勝攻略

良好的開端是成功的一半，在接到邀請的那一刻，就表現出良好的風度和素養。所以，在日常生活中，我們就要養成嚴謹的生活態度，做一個有時間觀念、生活細緻入微的人，只有這樣，在面對突發情況的時候，才能步履從容。

搭好介紹這座「橋」

人與人之間的相交，初次見面的印象很重要。

在餐飲禮儀當中，介紹的禮儀是相當重要的一環。因為我們在任何場合、任何餐廳用餐，都有可能接觸到一些素昧平生的人。經由介紹，可以結識新朋友和新的合作夥伴，也可以為謀求新的職務打開門路，開始新的里程。

「介紹」是人與人之間相互交往的第一座橋樑，是拓展自己人際關係的第一步。從認識、握手到交換名片，如果每一個細節都能確實掌握好，將會使你在任何餐飲場合中，都能更自然、從容地進行交際，更好地展示良好的交際風度。

這天，公司舉辦商業酒會，各位業內人士都來參加了，作為公司的副總，陳初發可忙壞了，一會兒在這，一會兒在那，到處都是他爽朗的笑聲。

「陳總啊，好久不見別來無恙啊？」一個端著酒杯的人來到他面前，笑容可掬地看著他。陳初發一看，原來是幾年前曾經有過合作的李總。

他趕緊迎上去，一陣寒暄。兩人聊得正起勁，另一個公司的老總也過來了，這個老總姓王，跟陳初發的公司一直在合作，陳初發當然不敢怠慢，握住王總的手，不停地問候，然後就把李總忘在一邊了，李總的臉色很難看。

「這位是？」王總見陳初發忘了介紹，趕緊提醒陳初發，以免尷尬。

「真該死，忘了介紹兩位認識了。」陳初發一拍自己的腦袋，自嘲地笑了笑，然後給二人互相做了個介紹，場面一下子緩和過來，李總的笑臉又回到了臉上，三人一起聊著天，大有相見恨晚的感覺。

在宴會之上，介紹的基本方式有兩種，即為他人作介紹和自我介紹。

一、為他人作介紹

(1) 要確定自己是不是合適的介紹人。在不同場合應有不同的人擔任介紹人。在公務宴請中，公關人員是最適當的介紹人；在接待貴賓時，介紹人應為本單位職位最高的人士；在一般宴請場合，主人義不容辭應當做介紹人；在非正式宴請場合，與被介紹人雙方都相識的人則應擔任介紹人。

(2) 注意介紹順序。為他人作介紹時，記住一點「尊者居後」，即把身分、地位較低的一方介紹給身分、地位較高貴的一方，以表示對尊者的敬重之意。在口頭表達上應先稱呼受尊敬的一方，再將被介紹者介紹出來。所以，在介紹的順序上應該為：將男士介紹給女士，將未婚者介紹給已婚者，將晚輩介紹給長輩，將職位低者介紹給職位高者，將客人介紹給主人、將個人介紹給團體。

(3) 要注意介紹姿勢。作介紹時，介紹人應起立，行至被介紹人之間。在介紹一方時，應微笑著用自己的視線把另一方的注意力吸引過來。手的正確姿勢應為手指併攏，掌心向上，胳膊略向外伸，指向被介紹者。作為介紹人，在為他人作介紹時，態度要熱情友好。認認真真，不要敷衍了事或油腔滑調，也不要用手指對被介紹者指指點點。作為被介紹的一方，在被介紹時，應起立，用柔和、真誠、專一的目光注視對方；隨介紹人的介紹，熱情地與對方握手，點頭致意，並用「您好」、「很高興認識您」等語言來表示問候和真誠的態度。

(4) 恰當的介紹語。介紹人在為他人作介紹時，語言宜短，內容宜簡，並應該使用敬辭。比如，「周小姐，讓我來介紹一下，這位是我們單位的劉先生。」「楊潔女士，我想請您認識一下韓光先生。」「張師傅，讓我介紹一下，這是我的同事李敏。」「王總經理，請允許我介紹一下，這位是我們集團第一分公司新任經理張豐。」若時間寬裕、氣氛融洽，在為被介紹人作介紹時，除介紹姓名、單位、現任職務和與自己的關係外，還可介紹雙方的愛好、特長、學歷、榮譽等情況，為雙方提供交談的前提條件。介紹時，語言的使用不可厚此薄彼。

介紹語要清楚明白，不要含糊其辭。凡是容易誤解的地方要加以解釋，或做補充說明。如，「這位趙先生，是『作協』的」。如果被介紹者是文藝界以外的人士要做補充說明：「『作協』是作家協會」。避免出現由於介紹不詳鬧出笑話，把「作協」誤認為「做鞋」的。

介紹時要把握分寸，不要過分地頌揚一個人。一般來講，謙虛的人，即使在熟人面前，也不喜歡別人替他吹噓，在新結識的人面前更是如此。不合時宜地吹捧會令被介紹人尷尬，不好意思，介紹人本人也會給人留下不良的印象，因此介紹時一定要掌握實事求是和適度的原則。

另外，作介紹前，應考慮被介紹人雙方有無相識的必要與願望，故可事先詢問被介紹人的意見，以防作介紹時冷場。如「請允許我介紹你們認識一下」，然後再把雙方的情況一一介紹。

二、自我介紹

在許多社交場合，為了多結交一些朋友或有意接觸某人，需要主動趨前介紹自己給對方，這就是自我介紹。進行自我介紹時必須注意以下幾方面：

(1) 儀態大方，表情親切。進行自我介紹時，必須舉止、儀表莊重大方，表情坦然親切，面帶笑容、熱情友好。講到自己時可將右手放在自己的左胸上，切忌慌慌張張、不知所措或滿不在乎。

(2) 選準時機。當你進入新環境的時候，與陌生人初次見面時，必須及時、簡要、明確地做自我介紹，說明來歷，讓對方儘快瞭解你。相反的，見面時，相互凝視半天，你仍沉默或前言不搭後語，對方會很不愉快，甚至會產生許多疑問，使對方不願意與你交往。當然若對方正與他人交談，或大家的精力正集中在某人、某事上，則不宜作自我介紹；而對方一人獨處，或春風得意時，進行自我介紹則會產生良好效果。

(3) 把握分寸。自我介紹時措辭要適度，既不要過分炫耀自己的部門和本人，也不要過分自我貶低，而應實事求是、恰如其分地介紹自己，給人誠懇、坦率、可以信賴的印象。總之，自我介紹既要表現友好、自信和善解人意，又應力戒虛偽和媚俗。

(4) 掌握介紹的基本程式。自我介紹時，介紹者就是當事人，其基本程式是先向對方點頭致意，得到回應後再向對方報出自己的姓名、身分、單位及有關情況。介紹時語言要熱情友好，充滿自信，眼睛要注視對方。

(5) 介紹內容要準確、恰當。在社交場合，自我介紹的內容大體由三個要素構成，即本人姓名、本人供職單位和本人職業（職務）。一般的自我介紹要將三者一氣呵成，在初見面時，介紹要報姓名全稱。如果對方表現出結識的熱情和興趣，還可以進一步介紹一下自己的學歷、專長、興趣、經歷等。自我介紹的內容也可根據實際的需要決定繁簡。

飯局制勝攻略

任何朋友，都是從陌生到熟悉，逐步認識，逐步瞭解，最後才建立起感情的。如果介紹這座「橋」搭好了，那麼就可能走了一條通往對方心靈的捷徑，反之，則會有一下子被打入冷宮的危險。

將 座次安排應有序

瞭解自己的角色，對號入座，自然不易出錯。

中國素有「禮儀之邦」之稱，「不學禮，無以立」，中國最早的禮中最重要的禮，可以說就是食之禮。檢驗一個人修養的最好場合，莫過於集群宴會。因此，「子能食食，教以右手」（《禮記·內則》），家庭啟蒙禮教的第一課便是食禮。而中國宴會繁縟食禮的基礎儀程和中心環節，即是宴席上的座次之禮——「安席」。史載，漢高祖劉邦的發跡就緣於他在沛縣令的「重客」群豪宴會上旁若無人「坐上座」的行為。《史記·項羽本紀》中鴻門宴會的座次是一規範：「項王、項伯東向坐，亞父南向坐，亞父者，范增也。沛公北向坐，張良西向坐」，此即顧炎武所謂：「古人之坐，以東向為尊。」這是指的是「室」內設宴的座禮。

隋唐以後，出現了方形、矩形等餐桌，座次之道也隨之改變。圓桌是應聚宴人多和席面大的要求應運而生的。圓桌在許多餐廳及家庭中亦普遍使用，其座次一般是依餐廳或室的方位與裝飾設計風格而定，或取向門、朝陽，或依廳室設計裝飾風格所展現出的重心與突出位置設首位。通常服務人員擺台時以口布折疊成花、鳥等造型，首位造型會非常醒目，使人一望而知。而隆重的大型宴會則往往在各餐台座位前預先擺放座位卡（席簽），所發請柬上則標明與宴者的台號。這樣或由司儀導引，或按圖索驥、對號入座，自然不易出錯。

一次，小西參加別人的七十歲大壽的生日宴會，由於堵車遲到，小西到現場時參加宴會的人已經來得差不多了。小西想趁著沒人注意，閃進場再找個空位坐下來，可是目光所及之處都是人，根本不見有空位。突然，小西看到一個空座，他趕緊三步並作兩步走，以迅雷不及掩耳之勢入座，並與同桌的客人打招呼，同桌的客人儘管都給予了回應，但表情都十分尷尬。小西只當那不過是別人不認識自己的正常反應，也就不多想了，安下心來等待開席。過了一會兒，小西感覺眾人都將目光轉向他，心裡正納悶呢，這時，有一位先生指了指他身後，小西轉過身一看，只見後方牆壁上竟掛著巨大的紅色「壽」字，原來小西情急之下竟坐了壽星公的位置，他頓時感到臉上火辣辣的，尷尬地站了起來，在好心人的指點下找了個角落的位置坐下。小西心想：「唉！要是有個地洞，我一定鑽進去。萬眾矚目啊！臉丟大了！」

小西由於疏忽大意，一不小心，喧賓奪「座」，惹來眾人「關注」的眼光，場面好不尷尬。儘管小西此舉是無心之過，可在場的其他與宴者不會這麼認為，他們只會覺得小西是個不懂座次之禮的人。何為座次之禮呢？在我們參加宴會時，除了要知道自己當天所扮演的角色外，還要瞭解男女主人在餐桌上的位置，男女主賓的位置，以及其他男女陪客的位置，然後再按照自己所扮演的角色入座，切不可像小西一樣做出喧賓奪「座」的行為來。

在中國的飲食禮儀中，坐在哪裡非常重要，宴席位次的設定，既屬約定俗成，故其時空差異性較大，而依我國時下理念習尚，則首論職務尊卑，次敍年齒，後及性別（先女後男，以示重女觀念）。當然，這都是首席座位確定之後再循行的一般模式。

主座一定是買單的人。主座是指距離門口最遠的正中央位置，主座的對面坐的是邀請人的助理，主賓和副主賓分別坐在邀請人的右側和左側，位居第三位，第四位的客人分別坐在助理的右側和左側。讓邀請人和客人面對而坐，或讓客人坐在主桌上都算失禮，中國的文化是不讓客人感到緊張。

中國人傳統上用八仙桌。對門為上，兩邊為偏座。請客時，年長者、主賓或地位高的人坐上座，男女主人或陪客者坐下座，其餘客人按順序坐偏座。在中國，左為尊，右為次；上為尊，下為次；中為尊，偏為次。而在西方，右為尊，左為次。邀請人可以指定客人的座位，自己的部下或晚輩也可被安排在比自己更重要的位置上，透過分配座位，以暗示誰對自己最重要。

飯局制勝攻略

中國歷來就是禮儀之邦，講究尊卑有分，長幼有序。參加飯局的時候，除了要知道自己當天所扮演的角色外，也要瞭解男、女主人在餐桌上的位置，男、女主賓的位置，以及其他男女陪客的位置。然後按照自己扮演的角色入座，才不致失禮。

入座禮儀彰顯你的優雅

坐姿和站姿一樣，都決定著一個人的形象氣質。

每次參加宴請，總免不了首先得就座位禮讓一番，這是中國人吃飯前的重要儀式。少了這個儀式，讓大家隨便坐了，坐主位者便顯得太狂妄尊大，坐次座的人自然也會心中不忿，如此這般的各自心有千千結，也不能胃口大開吃頓好飯。所以，入座的禮儀十分重要。

徐子傑是部門裡新來的同事，溫文爾雅，風流倜儻，他一來就引起了辦公室裡一群女人的八卦，其中也不乏為他大犯花癡的小女生。這天部門聚餐，同事們都三五成群地一起邊聊天邊向飯店走，徐子傑自然被一夥女同事包圍，大家你一言我一語的極盡八卦之能事，熱熱鬧鬧，倒也開心。

走到包廂門口，有很多走得快的同事已經先行入座了，徐子傑心想，「大家都是同事，應該不講究什麼吧」，也許是走累了，他看見一個座位就大大咧咧地自行坐下了，並在座位上把自己攤成一堆軟泥，怎麼也不像平時那個精神的小伙子。而其他同事看女士進來了，都紛紛站起來，幫女同事拉凳子，幫助她們入座之後自己才坐下。徐子傑一時之間頓覺尷尬，因為一時疏忽，讓自己的紳士風度盡失。

一個不懂禮儀的人會被人貼上粗俗沒品味的標籤，所以，在特定的場合一定要適當地注意自己的言行舉止，尤其在參加飯局宴會的時候，否則，有傷大雅。那麼，到底怎麼坐才不會失禮呢？

一、選擇恰當的位置，優雅入座

(1) 客人到達自己的位子時，一屁股坐下來，是相當不禮貌的行為。正確的入座方式為從左側入座，先用一隻腳跨入桌椅間的空隙，另一隻腳再隨後跟上。等到雙腳到達定位時，上半身保持挺直，下半身彎曲垂直坐下。

(2) 赴宴入座不可一見空位就自行坐下，高級飯店往往是出服務員帶路入座，以免坐錯席位。如是參加宴會，進入宴會廳之前，應先瞭解自己的桌次和座位，入座時注意桌上座位卡是否寫著自己的名字，不要隨意亂坐。

(3) 應聽從主人安排，按主方給定的座位就座。不要隨心所欲地尋找熟人或與想要結識的人為鄰，或過分客氣，以至於拉拉扯扯。另外，入座時，應讓年長者、地位高者和女士優先，如鄰座是年長者或婦女，應主動協助他們先坐下。然後，自己以右手拉開椅子，從椅子左邊入座。同時，應與同桌點頭致意。

(4) 中式的宴會，多採用圓桌。但每桌照例有一個主人或招待者，在主人兩旁的座位，一般是留給上賓或主客。如不是主人邀請，則不宜選此座。

(5) 工作餐會是一種非正式的商務宴請，對於座次的安排一般沒有嚴格的要求，雙方可自由入座。但出於禮貌，主人應等客人落座後再坐，且應把座向較好的位置讓給客人。如果主人與客人為同性時，主人可坐於客人的對面，也可坐於客人左側。客人為異性時，主人應選擇客人對面的位置。

(6) 如果你是第一個走近桌子的人，那就順勢向裡移，以方便其他人就座。在餐廳用餐，當人多椅子不夠用時不可亂拉旁桌的椅子，應請服務員協助搬取足量的椅子，或另找個寬敞的餐桌落座。

二、妥善安置自己的私人物品

手提包、手套、鑰匙、打火機、香菸等私人物品，不要放在桌上，因為餐桌只是用餐的地方，放上私人東西，妨礙他人用餐，十分不禮貌。那麼應該放在哪裡呢？

在較高級的餐廳用餐，餐廳都會備有衣帽間，像大衣、外套、傘具、包裹等物，皆可交給服務人員放置於衣帽間，避免弄髒衣物，也可讓自己身手俐落。取回時記得給服務員小費。也可將手套等零碎物品放進手提包裡，手提包則靠在椅背上，隨身重要物品可放在椅腳前下方。可能有很多人不習慣把手提包放在地板上，這時，你可以把手提包放在背後和椅子之間或大腿上（餐巾下）。若是鄰座沒有人，也可以放置在椅子上，或掛在皮包架上。

三、在餐桌上保持良好的坐姿

坐在餐桌上的時候，身體保持挺直，兩腳齊放在地板上。當然，這並不是要求在餐桌上必須像軍校的學生一般，坐得像槍桿一樣筆直，不過也不可能像布娃娃一樣，彎腰駝背地癱在座位上。

用餐時，上臂和背部要靠到椅背，腹部和桌子保持約一個拳頭的距離。兩腳交叉的坐姿最好避免。在上菜空當兒，把一隻手或兩隻手的手肘撐在桌面上，並無傷大雅，因為這是正在熱烈與人交談的人自然而然會擺出來的姿勢。不過，吃東西時，手肘最好還是要離開桌面。如果兩個胳膊不顧一切地往外張開，使得左右兩邊的同席者感到不便，這樣是很不禮貌的。

暫停用餐時，雙手如何擺放可以有多種選擇。可以把雙手放在桌面上，以手腕底部抵住桌子邊緣；也可以把手放在桌面下的膝蓋上，雙手保持靜止不動。不管怎樣，這樣可能比用手去撥弄盤中的食物，或玩弄頭髮要好得多了。

另外，在餐廳用餐也應該尊重其他的用餐者。用餐的時候最好把手機鈴聲關掉，然後大體留意一下周圍環境的喧鬧程度。不要盯著其他人看，雖然這很難做到，但是你要知道角落裡的那對親密的伴侶或許正在最後的晚餐中挽救著他們的關係，絕對不要竊聽。儘管如此，餐廳仍是公共場所，你絕對有權享受歡聲笑語，所以也不必默不作聲。

飯局制勝攻略

在飯局之上，雖然不要求站如松，坐如鐘，但彎腰駝背卻不雅觀，所以，即使多麼不習慣，也要讓自己暫時受累，保持良好的坐姿。當然，在有的私人宴會上，大家則可以不必如此拘謹。

不可不學的名片禮儀

這些小小的名片很有可能成為你日後成功的墊腳石。

認識一個人有許多不同的方式，如觀察對方的外表與打扮、自我介紹、交談等，而交換名片則是初次見面時，可以粗淺地瞭解對方，又能稍稍拉近彼此之間的距離的一種辦法。經由名片我們會知道對方的名字，服務的場所、職位、聯絡方式等，可算是一個建立人際關係網路資料庫的好幫手，名片所代表的是自己本身，用應有的禮貌交換名片，是尊重自己也是尊重他人的表現。

但是，不是每個人都瞭解在這方面的一些細節和禮儀，在不知不覺中將可能相交的人得罪了。

一天，林嘉文參加一場同行舉行的商業酒會，很多業內人士都來參加了，彼此不熟悉的人都禮貌地握手、打招呼、彼此交換名片，以期待創造可能合作的機會，林嘉文也不例外。

那天來的人實在是太多了，收到的名片也太多了，沒多久林嘉文的名片夾就放不下了，他只好把對方的名片順手塞進褲子裡，以便騰出手來接下更多的名片。可是，當他再次將一個人的名片塞進褲子的時候，林嘉文絲毫沒有注意，在他轉身的一瞬間，對方的臉沉了下來。

人們在參加商務宴會時，大都會互贈名片，這是一種很平常的行為，但卻有著十分重要的意義。首先，名片可以記錄你所遇到的人，而且更為重要的，它們是你與名片主人進一步聯繫的依據。這些小小的名片很有可能成為你日後成功的墊腳石。那麼，在你與別人交換名片時，就一定要注意一些小細節，不可隨意對待別人遞過來的名片。如果像林嘉文那樣順手將別人的名片塞進褲子，常常容易得罪人而不自知。

既然交換名片如此重要，那麼，在互相贈送名片時我們都應該注意什麼呢？

一、發送名片注意時機

名片交換禮節的第一步是選擇適當的時候交換名片，除非對方要求，否則不要在年長的上級面前主動出示名片，那樣顯得十分不禮貌。在一群陌生人中最好不要到處傳發自己的名片，那樣會讓別人誤以為你是個低素質的推銷員，只會鄙視你。因此，在商業社交活動中要有選擇地發送名片。

假如你所面對的是一群不認識的人，那麼最好等別人先發送名片。名片的發送可在剛見面或告別時，但如果你即將發表自己的意見，就應該在說話之前發名片給周圍的人，這樣可以有助於他們認識你。

如果你出席重大的社交活動，那麼一定要事先準備好名片。交換名片時如果名片已用完，可用乾淨的紙代替，在上面寫下個人資料，不可隨便寫在別人的名片後面代替，那只會顯得你不尊重對方。

二、遞交名片忌隨意

遞送名片給別人時，不可隨隨便便，要鄭重其事，應該起身站立，走上前去，使用雙手或者右手，將名片正面朝上，遞交給對方。此外，不要用手指夾著名片遞給別人，那樣會顯得你很輕浮且不尊重對方。還有，不要將名片舉得高於胸部，也不能低於腰部以下。如果你所面對的是少數民族或外賓，最好將名片上印有對方認得的文字那一面面對對方。將名片遞給他人時，應該說「請多指教」「多多關照」「今後保持聯繫」，或是先向對方做一下自我介紹。

三、恭敬地接受別人的名片

當別人要遞交名片給你或者與你交換名片時，你應立即停止手上所做的一切事情。如果手上有東西應該立刻放下，起身站立，面帶微笑，目視對方。接受名片時應該雙手捧接，或以右手接過，切勿單用左手接過。

在你接過對方的名片後，要立即用半分鐘左右的時間，從頭至尾對其認真默讀一遍，意在表示尊重和重視對方。接受他人名片時，應口頭道謝，或重複對方所使用的謙詞敬語，如「請您多關照」「請您多指教」，不可一言不發。若需要當場將自己的名片遞過去，最好在收好對方名片後再給，不要左右開弓，一來一往同時進行，那樣容易出現交叉遞送的錯誤而造成尷尬。

當你看過名片後，應細心地將名片放入上衣口袋或者名片夾中。若接過他人的名片後在手頭把玩，或隨便放在桌上，或裝入臀部後面的口袋，或交與他人，都是十分失禮的行為。

除此之外，不要弄髒名片，不要在用餐時發送名片，切忌折皺、玩耍對方的名片，更不要在別人的名片上做標記，因為類似的做法都會引起對方的反感，導致你社交的失敗。

飯局制勝攻略

對於商界人士來說名片對於每個人都是很重要的，在交換名片的時候做得恰當不失禮節，可以為你在無形之中拉近彼此的距離，為你樹立好形象，進而進一步為你所在的公司帶來效益，反之，則會失去可能帶來的機會。

私人宴會也不可出口成「髒」

平常一定要注意養成良好的語言習慣，不可隨意講髒話。

現實生活中人們很容易受一些不良社會因素的影響，養成不好的習慣，比如大爆粗口，說粗話。很多人會說：「我跟一般人不會爆粗口，只有和關係好的人聚在一起了才會不拘小節地大爆粗口，大家都是很好的朋友，都知道彼此的性格，所以沒什麼大不了的。」真的是這樣嗎？跟朋友在一起就可以「出口成髒」嗎？大錯特錯！在任何時候，任何場合，爆粗口都是有傷大雅的，更何況在飯局宴會之上。

沈敬濤大學畢業後就出國留學了，留學期間對以前的朋友甚是想念，學業完成後，他帶著女友回國，於是，打算宴請幾個很久沒見的老同學。吃飯那天下著大雨，看著餐廳外面豆子大的雨點，沈敬濤心裡有點不安。「都怪自己選這樣的日子，老同學過來還真不方便。」沈敬濤在心裡自責。

這時，一男一女相伴進了飯店，只聽到男的說：「沈敬濤這小子可真會挑日子，他××的，這麼大的雨跑到他××這麼遠的××飯店！真××！」

「你就少說兩句，要是讓沈敬濤聽見多不好啊！人家好心好意請你吃飯，誰曾想會下雨啊！」旁邊的女的勸解著說。那男的不聽，還是罵罵咧咧的說個不停。

見到沈敬濤之後，那男的也沒有寒暄一番，直接劈頭就罵：「沈敬濤，你這××小子，出國混了幾年，真是××，還以為××死外頭了呢，真××的……」什麼叫髒話連篇，沈敬濤這回總算見識到了。

沈敬濤依然保持著自己的紳士風度，一個勁地說：「抱歉，沒想到會下雨，給大家添麻煩了。」在場的老同學都說沒事，就聽剛剛那位男士又開始了：「沈敬濤，你這話說得就見外了，我們是什麼關係啊，老朋友了，你××不要以為我剛剛是××抱怨，你知道的，我××就是一大老粗，別××誤會啊，沒別的意思。」沈敬濤在一旁賠笑臉說：「不會，不會。」

沈敬濤雖然不在意，與宴的其他同學都低聲議論道：「他怎麼這樣啊，也不看什麼場合，一點不顧及我們的面子。」

這時，剛才那位女士對那位髒話不斷地仁兄說：「你別那樣，這麼多人呢，好好說話。」那位仁兄說：「沒事，你不懂，我們都××是老同學了，大夥兒不會介意的，是吧？」說完，他轉身「詢問」在場眾人的意見，只見大家都面露尷尬，勉強點頭。那位仁兄更得意了。自然，整頓飯髒話不絕於耳。

朋友聚會就可以「出口成髒」嗎？很多人覺得，朋友關係好，都是自己人，不同於其他人，說話可以無所顧忌，想怎麼說就怎麼說；可是朋友也是人，難道你不該對其給予尊重嗎？這位仁兄毫不注意場合，大放厥詞，暴露出了自己粗鄙與無知。他不文明的行為只會招致朋友們的反感與厭惡，下次誰還敢與他同桌共餐呢？

朋友聚會相對於其他社交宴會來說，氣氛會輕鬆一些，可是這並不表示你可以毫無顧忌地大爆粗口，那樣一方面會讓朋友覺得尷尬，如果還有其他人在場，朋友會因你的不注重場合而怨恨你，懊悔自己結交了不該結交的人。另一方面，你也因此成為全場的「中心」，大家都在看你「自我陶醉」於自己的低級趣味，只會對你敬而遠之。畢竟誰也不想與一個隻會爆粗口的傻瓜待在一起。因此，我們平常一定要注意養成良好的語言習慣，不可隨意講髒話。參加宴會更要注意文明禮貌，不可留給別人出口成「髒」的壞印象，進而導致社交失敗，生意泡湯。

飯局制勝攻略

一個人如果看起來溫文爾雅，打扮的貌似謙謙君子、溫柔淑女，而說話卻粗俗無禮，則會將你的形象全部摧毀，給人「金玉其外」、「敗絮其中」的感覺，語言美也是評價一個人氣質形象的標準，所以，平時要養成文明有禮的好習慣。

第七章

儀表是門面，做好飯局上的主角

在宴會場合之下，人們大多不會深交，一般只會留下一個大致印象，以備以後進行進一步的交流與互動，這個時候，儀表是你遞給別人最好的名片。所以，不管赴什麼樣的宴，你都應當根據宴會的性質和場合，給人一個乾淨、清爽、合乎禮儀的美好形象，讓別人有和你繼續交往的興趣，進而延伸自己的人脈。

不修邊幅無法成為宴會達人

常言道：人靠衣裝，佛要金裝。赴宴時服裝更要端莊合宜。

在社交場合中，人們常常根據對方的外貌、舉止、談吐、服飾等外在形象做出初步評價和形成某種印象，即第一印象。趕赴任何宴會，你都要注意自己的穿著是否得體、化妝是否得當、飾品是否符合身分等，因為良好的外在形象有助於你成為宴會上受歡迎的人。

服裝在我們的日常生活中佔有非常重要的地位。穿著打扮不僅反映一個人的修養、職業，同時也反映其個性與心理。有些人往往缺乏主見，別人穿什麼，自己就跟著學，卻忘了考慮自己的個人喜好和身分地位，往往弄巧成拙。或者是由於方便或是習慣使然，穿著不分場合，千篇一律，給人不修邊幅的印象。這樣的人在為人處世上很難左右逢源。

衣著打扮也是一種語言，這門語言，在人際交往中有相當的作用。在與人打交道的過程中，特別是與陌生人初次見面，對方就是從衣著上來初步獲取你資訊的。

秦淮中屬於IT行業裡面的「金領」一族，很有工作能力，然而生活裡他是個不拘小節的人，整天一身破牛仔，從未想過個人形象這回事。

有一次，公司舉行周年慶，邀請了市長以及一些重要客戶。晚宴上秦淮中依舊穿的是那套「行頭」。他剛進場，負責接待的公關部經理就皺起了眉頭，說：「秦淮中，不是早就通知了，今天的酒會要正裝出席的嗎？怎麼你還是這樣啊？」秦淮中呵呵一笑，說：「我一個技術人員，又不是主管級的重要人物，還著什麼盛裝啊！再說了，我就只有這樣的衣服，跟你一樣穿西服我渾身不自在，還是這樣好，而且我習慣了。」公關部經理語重心長地說：「平常也就算了，今天來了這麼多重要客人，你穿成這樣，老闆的面子掛不住啊！你還是別過去了。」秦淮中不聽勸告，逕自向老闆走去，老闆看見他勉強說了幾句，就轉身走向其他員工了。

現場的其他人也都以異樣的眼光看著秦淮中，沒有人主動上來與他交談，甚至很多同事竟裝作不認識他，令秦淮中十分尷尬。

秦淮中的不修邊幅，使他在宴會中遭遇尷尬和冷遇，這皆因他的穿著暴露出他不夠嚴謹的生活態度，也是不懂得尊重他人的表現。在正式的社交場合中，服飾被賦予了更多的含意。它不僅是一塊「遮羞布」，而且傳達著很多的資訊，比如個人的品味、性格、態度。商務宴請當然不是為了吃飯而吃飯，它作為人際交往的平台，是展現個人修養的舞台，而服飾則可以看做舞台上的「戲服」，如何穿著直接對你的角色進行了定位，決定了你能否成事。

為了讓你在宴會上展現完美的自我，輕鬆成事，這裡向你推薦幾個赴宴的穿著方法。

一、應同事之邀

如果是公司同仁所參加的晚宴，除了參考邀請函上是否有服裝要求外，盡可能瞭解主人的衣著品味層次，是正裝還是晚禮服？或小禮服？還有參與宴會上司的可能的穿著。如此，自己才可做適宜的打扮，千萬別隨興而至，很可能搶到主人或上司們的風采，或因太隨便而失禮了。

二、應朋友之邀

如果是一般朋友聚餐或普通邀宴，女性可以穿著較柔和的套裝或亮麗浪漫的洋裝，再搭配合宜而具女性風格的手提包，將能營造溫馨親切的聚餐氣氛。

三、參加喜宴

如果是參加喜宴，新人當然應以大禮服的主角身分出席，而雙方父母，則是第二主角的身分，自然也應以正式宴會服出席。男士著深色西裝及色彩協調的襯衫領帶，並配上主婚人的胸花。女士則以中式旗袍或西式小禮服的宴會裝為主，由於須佩戴主婚人的胸花，所以，其他飾品的裝飾，須以造型簡單，多不如巧為原則。一般人員可選擇一套合宜的套裝，套裝的風格和顏色都很重要。若平時非常喜歡穿著暗色或中性色彩服裝，此時就要特別挑選一些具有喜氣的暖色調衣服，例如棗紅或磚紅，既不會喧賓奪主，又非常適合當時的氣氛。

四、商務宴請

商務宴請一般要求著正裝，西裝是當前最常見、最標準、男女皆宜的禮服。參加商務宴會，只要選擇一套適合自己的西裝，把自己打扮得穩重高雅、自然瀟灑即可。另外，無論天氣如何炎熱，也不能當眾解開紐扣脫下衣服。小型便宴如主人請客人寬衣，男賓可脫下外衣搭在椅背上。總而言之，為了給所有與宴者留下好印象，切忌不修邊幅前去赴宴，而要做好宴請的穿著準備，做宴會現場的完美紳士。

飯局制勝攻略

對於男士而言，飯局上的穿著搭配極其重要，西裝、領帶、襯衫、腰帶、襪子、鞋的搭配要適合自己的膚色、年齡、職業和性格特點，要讓自己的造型簡潔清爽；對女士來說，除了合宜的服裝、適當的彩妝之外，整體的飾品搭配也是相當重要的。另外，不管男士女士，裝扮都無須過於浮華，給人留下暴發戶的感覺。

給自己化一個精緻的妝容

三分靠長相，七分靠打扮，參加宴會時，給自己一個精緻的妝容。

有人說：「漂亮的外貌是一張特別通行證。」這話雖不完全正確，但商務應酬中，你若保持漂亮怡人的容貌，在人際交往中就比較容易獲得他人的好感，有利於商務應酬活動的開展。

天生麗質的人畢竟是少數，而且歲月不饒人。俗話說得好：「三分靠長相，七分靠打扮。」自然美給人以樸素、純真的美感，而化妝有錦上添花的作用。女人化妝，目的是給人以清潔、健康、漂亮的印象，雖然商務應酬場上的女人年齡、行業各異，但都要注意根據自己的臉形、性格、氣質等條件來選擇適合的妝容，這樣才能吸引他人的目光。

小可是公認的宴會女王，每次出席宴會都會給人留下無可挑剔的美好形象。最近一段時間，因為失戀，小可的心情很不好，幹什麼都提不起勁兒來，好友美菱為了讓她早日從失戀的陰影中走出來，執意邀她出席一個宴會。

沒有想到的是，這次出現在美菱面前的哪是往日的宴會女王小可，而是一個活脫脫的怨婦，雖然穿著名家設計的黑色晚禮服，戴著價值百萬的首飾，但是素面朝天的面容卻稍顯蒼白，更要命的是因為持續很長時間的失眠，她的黑眼圈異常明顯。

美菱看見她這個樣子，趕緊把她拉到一邊說：「你怎麼沒化妝就來了啊？你知不知道你的氣色很差？」小可掏出鏡子來一看，自己也嚇了一跳，再看了看周圍，所有的女士都光彩奪目的，小可趕緊拿出腮紅在臉上撲了撲，希望自己的氣色能好一點，美菱慌忙拉住她說：「你稍微注意點，這麼多人在呢，還是去化妝間弄吧。」小可不以為然地說：「沒事，大家都很忙，不會注意到我的，你幫我擋擋就好了。」說完小可還拿出了粉餅，希望能把黑眼圈遮遮。周圍其他人都不約而同地向小可投去鄙夷的眼神，場面十分尷尬。

在宴會之上，你的形象價值百萬，商務應酬的場合中，女士在他人面前，尤其是在男士面前化妝是極其不禮貌的行為。當女士發現自己需要補妝時，應選擇到化粧室或盥洗室進行。此外，儘量不要在人前有整理頭髮、整理衣服、照鏡子等行為。否則，就會像小可這樣，給人留下缺乏基本素養，沒有品味和修養的印象。另外，在商務應酬的場合中，如能選擇一個適宜的妝容，則必定能為自己的形象加分，在你的貴人心目中留下美好的印象，促進彼此商業合作的順利發展。

不同的臉形有著不同的化妝方法。商務女士根據自己的臉形來選擇適宜的妝容，才能為自己的形象加分。

一、橢圓形臉

一般來說，橢圓形臉可謂公認的理想臉形，化妝時宜注意保持其自然形狀，突出其可愛之處。胭脂，應塗在頰骨的最高處，然後向上向外揉化開；唇膏應儘量按自然唇形塗抹（除唇形有缺陷外）；眉毛可順著眼睛的輪廓修成弧形，眉頭應與內眼角齊，眉尾可稍長於外眼角。

二、圓形臉

圓形臉往往給人以可愛、玲瓏之感，胭脂的塗抹可從顴骨起塗至下頜部，切不能簡單地在顴骨凸出部位塗成圓形。上嘴唇可用唇膏塗成淺淺的弓形，但不能塗成圓形，否則有圓上加圓之感。可用暗色調粉底，沿額頭靠近髮際處起向下窄窄地塗抹，至顴骨部下可加寬塗抹的面積，造成臉部亮度自顴骨以下逐步集中於鼻子、嘴唇、下巴附近部位。眉毛可修成自然的弧形，可做少許彎曲。

三、方形臉

方形臉的人在化妝時，要設法加以掩蔽，增加其柔和感。胭脂宜塗抹得與眼部平行，切忌塗在顴骨最突出處。可用暗色調粉底在顴骨最寬處造成陰影，令其方正感減弱。下頜部宜用大面積的暗色調粉底製造陰影，進而改變面部輪廓。唇膏可塗豐滿一些，增加柔和感。眉毛宜修到稍寬一些，眉形可稍帶彎曲，不宜有角。

四、長形臉

長形臉的商務人員，在化妝時力求達到的效果應是：增加面部的寬度，彌補臉形的過長。胭脂的塗抹應注意離鼻子稍遠些，進而可以在視覺上拉寬面部。塗抹時，可沿顴骨的最高處與太陽穴下方所構成的曲線部位，向外、向上抹開去。雙頰下陷或者額部窄小者，應在雙頰和額部塗以淺色調的粉底，造成光影，使之看起來豐滿一些。在修正眉毛時應令其成弧形，切不可修成有棱有角的，位置不宜太高，眉尾切忌高翹。

五、瓜子臉

這種臉形的特點是額部較寬大而兩腮較窄小，呈上闊下窄狀。化妝時，掌握的訣竅恰恰與三角形臉相似，而修飾部分正好相反。胭脂應塗在顴骨最突出處，而後向上、向外揉開。可用較深色調的粉底塗在過寬的額頭兩側，而用較淺的粉底塗抹在兩腮及下巴處，造成掩飾上部、突出下部的效果。宜用稍亮些的唇膏來加強柔和感，唇形宜稍寬厚些。眉毛應順著眼部輪廓修成自然的眉形，眉尾不可上翹，描時從眉心到眉尾宜由深漸淺。

一般來說，宴會應酬場合中，女士的妝容宜淡不宜濃，而如何化好淡妝，只需這樣幾個簡單的步驟：洗臉後在臉上抹一種比自己膚色稍淺的粉底霜，使臉色增加一層光澤；塗抹一層薄薄的眼影，一般以灰色較好，若是戴眼鏡，可以稍濃一些，一般情況不必畫眼線；年輕人宜用亮色的口紅，隨著年齡的增長，顏色宜改用淺色系列和褐色系列。

此外，整個人的化妝與服裝、配飾顏色要協調。一般來說，如果眼妝是藍色系列的話，口紅應用粉紅色的；若用綠色或褐色系列的眼妝，則用橙色口紅。日間化妝以淡雅為宜，夜間可稍濃豔。

最後，大家應謹記的是，在應酬的場合中人們非議他人的妝容，借用他人的化妝品，都是失禮的行為。

飯局制勝攻略

三分靠長相，七分靠打扮，參加宴會的時候，給自己化一個精緻的妝容，既是給自己增加風采，也是對其他與宴者的尊重。作為一個文明的現代「食者」，藉助完美的宴會形象是獲得好人緣的最佳途徑。

將

乾淨清爽才能握住成功

社交活動中，人與人之間經常需要握手，代表著信任、合作、友好。

握手是一種禮儀，但人與人之間、團體之間、國家之間的交往都賦予了這個動作豐富的內涵。一般說來，握手往往表示友好，是一種交流更可以溝通情感，可以加深雙方的理解、信任，可以表示一方的祝賀、鼓勵，也能傳達出一些人的淡漠、敷衍。團體領袖、國家元首之間的握手則往往象徵著合作、和解、和平；在各類商務、公務及普通的宴會場合，握手禮是使用最頻繁的禮節形式，表示對對方前來赴宴的歡迎。既然握手如此重要，那麼，就要注意對手的維護。當然，即便不握手，手也是儀表的重要部分，不容忽視。畢竟誰也不想被骯髒的手握著。

宋明華做了幾年業務，也為自己存下了不菲的家底。最近，宋明華想自己闖一番事業，於是計畫爭取做一個化妝品公司的經銷商。機會終於來了，剛好在這個時候，這家公司舉辦宴會，宋明華就想來個毛遂自薦。當他說了自己的目的之後，這家公司經理親切地與他握手，可是，就因為這一握，所有的一切都成為泡影。

原來，宋明華雙手拇指和食指喜歡留著長指甲，當他和那個經理握手的時候，他的長指甲差點劃傷經理的手。當經理的注意力放在宋明華的手上之時，又看見他指甲裡面藏著許多污垢，手上還記著一堆電話號碼，經理只覺得「眼前一黑」，迅速收回手，不再理睬他了。最後，**這個公司以宋明華的形象與公司產品不符為由，拒絕了宋明華的加盟**。

由宋明華失敗經歷我們可以知道，骯髒的手只會令人作嘔，妨礙你獲得別人的好感，甚至令你喪失原本到手的成功。而漂亮的手，不但可表現出自己的魅力，同時也會讓他人覺得非常舒服，這樣一來，成功的機會就多了一個。因此，維護一雙健康美觀的雙手是你絕對不可以忽視的細節。

別人看到你的雙手，不可避免地會看到你的指甲，因此，保持指甲的良好狀態也是保護雙手所不可缺的。如果你由於各種原因不能讓專業的美甲師給你設計整修指甲，那麼就要靠你自己了，可千萬不要找藉口對自己的雙手置之不理啊，它們可是你的第二張臉。修剪指甲時，你需要注意以下幾點。

一、長度：手指甲長度不能超過二毫米。

二、縫隙：不能有異物。

三、習慣：養成「三天一修剪，每天一檢查」的良好習慣。

四、美甲：日常生活中，指甲保養。

五、行規：除非工作需要，一般上班時不允許塗指甲油。

手的美沒有絕對的標準，但對年輕的女子來說，理想的手要豐滿、修長、細膩、平滑，它應具有一種觀感上形態的美與接觸中感覺的美。人的雙手因為長時間暴露在空氣中，而且還要去做各種各樣的事情，因此手部皮膚特別容易乾燥、老化。因此就要時刻注意對手部皮膚的保養，延緩皮膚衰老，讓雙手健康美麗。這樣，參加宴會時，當你伸出手才會讓人眼前一亮，進而對你產生好感。

除了手要乾淨之外，握手也是一門學問，一般來說握手愈用力，愈可以給對方留下深刻的印象。反過來說，若是對方用力地握你的手，你就會下意識地用力握下去，以免自己居下風。握手，按字面理解為手與手的結合，也是一種心與心的溝通，即人們能夠從中感到一種強烈的連帶關係。握手可以表現出一個人是否飽含真誠。真誠的人握著你手的時候是暖暖的，雖然他手的實際溫度或許並不高，但他的真誠經由兩隻手熱情地傳遞出來，讓人對他產生一種信賴和好感。

既然握手的學問如此之多又如此重要，那麼在宴會上，我們行握手禮時應該注意哪些事項呢？

一、握手要專心：當你和別人握手的時候，一定要認真地看著對方，面帶笑容，必要時寒暄兩句，「歡迎光臨」、「我們又見面了」。切忌默默無語。

二、握手停留的時間和力度：一般來說，兩個人握手應該停留的時間在三至五秒，稍微握一握，再晃一晃，稍許用力即可。

三、伸手的前後順序：如果說介紹雙方時，先介紹地位低的，地位高的人先伸手；男士和女士握手，女士先伸手；長輩和晚輩握手，長輩先伸手；上級和下級握手，上級先伸手。實際上這主要是表示前者對後者的接納。

如果客人和主人握手，客人到來時，一般主人先伸手，表示歡迎；而客人離開的時候，一般是客人先伸手，意為讓主人留步。最後要說的是，握手的時候切忌不要目光遊移，四處顧盼，心不在焉，漫不經心地應付對方，這是對別人的不尊重。另外，握手時要取下手套，與人握手後不要立即用手巾擦手，那會讓別人誤以為你覺得他的手髒，也是很失禮的。

飯局制勝攻略

平時注意個人衛生，常洗手，常剪指甲，讓自己的手時時刻刻都保持清爽乾淨，那麼，不管在什麼情況下與人握手，都可以萬無一失。

將 別把抖腿當成你的習慣

抖腿給人不穩重的感覺，別人會認為你缺乏教養。

看過這樣一個電影，一對男女在餐廳相親，第一次見面，男的長得帥，女的也很漂亮，第一面的感覺都還不錯，但是，飯吃到一半，女的總覺得自己的酒杯在動，又不知道震源在何方，後來觀察了半天，才知道是男的在抖腿。女的頓時食欲全無，最後忍無可忍說道：「拜託你不要抖了，你抖得我心都快跟著顫了。」當然，那次相親以失敗告終，罪魁禍首就是男的抖腿的毛病。

生活中，我們會在不知不覺中養成一種壞習慣，比如說頻繁眨眼，不自覺地摳鼻，沒事就撥弄頭髮等。喜歡抖腿也是大家容易忽略的壞習慣，而且不管是什麼情況下，只要一有空閒，腿就會不由自主地抖個不停，總覺得抖腿只是自己的一個習慣而已，無傷大雅，然而，我們不知道的是，有的時候，人們會把抖腿和痞子聯繫在一起。

今天是劉啟志的姐夫新公司開業的日子，姐夫讓劉啟志在飯店大門口接待賓客。劉啟志打扮得很有精神，一身黑色的西服搭配一條紅色的領帶，儼然就是個小紳士。可是劉啟志有個習慣：就是沒事的時候喜歡抖腿。從開始迎賓，他的腿就沒有停過，甚至還隨著迎賓曲打拍子，節奏感十足，好不愜意的樣子。前來的每一個賓客都會不由自主地看他兩眼。這時劉啟志的奶奶也來了，儘管老人家一把年紀了，可是眼裡揉不得沙子。

奶奶說：「小志啊，今天是姐夫新公司開業的重要日子，除了我們家裡的人，來的大多是他生意上的朋友，你的接待工作可是相當重要啊！」

劉啟志拉著奶奶的手說：「奶奶，您就放心吧，我一定做好接待的工作。」

奶奶點點頭，接著說：「今天你是挺有精神的，不過就是有個小毛病需要注意一下。」

劉啟志從頭到腳仔細打量了自己一番，說：「哪有什麼小毛病啊，我覺得很好啊。」

奶奶說：「是啊，今天你這身衣服很得體，可是你那條腿啊為什麼一直抖個不停呢！你冷啊？」

劉啟志不好意思地說：「呵呵，習慣了，沒注意。」

「別抖了，抖得我的心都跟著你抖了，這麼多客人進進出出，你往這一站，腿抖個不停，多難看啊，會讓人家笑話！」奶奶嚴肅地說。

「看看你自己，你姐夫拿你當門面呢，你倒好，迫不及待地顯示自己的沒教養，別人看了，不是該笑話你姐夫手下沒人，請了一個野小子嗎？」聽了奶奶的訓斥，劉啟志面紅耳赤，改掉了抖腿的毛病。

在商務禮儀和待客等人際交往中，抖腿給人不穩重的感覺，別人會認為你缺乏教養。劉啟志就是養成了這種不好的習慣，在宴會場合也沒有多加注意，短短幾分鐘就讓來參加宴會的人「見識」到了自己的輕浮形象，還讓姐夫丟了面子。

喜歡抖腿是下意識的一種表現，它不是病也不需要醫藥來治療，但是在社交場合一定要避免出現抖腿現象，尤其是在宴會中，你抖腿的痞子行為會讓別人對你喪失信心，最終導致社交的失敗。

飯局制勝攻略

不管自己平時是多麼不拘小節，在一些正式場合也應該有所收斂，掌握好分寸，丟掉陋習，這樣才能給自己建立一個良好的形象，進而為自己建立良好的人脈。

微笑是拉近距離的橋樑

世人都喜歡用笑靨如花來形容微笑之美，笑是最美的表情。

沒有人會欣賞生氣的面孔，即使你擁有絕世的姿容和風度，怒氣過甚也會將其掩蓋。一個人的面部表情親切、溫和，洋溢著笑意，遠比他穿著一套華麗的衣服更吸引人，也更容易受人歡迎。宴會上別人不小心碰到了你，弄髒了你的禮服，他的緊張顯而易見。這時，你會怎麼辦？怒火中燒嗎？大聲呵斥他的不小心嗎？不，你不能，除非你想成為全場關注的「焦點」。釋懷吧，事已至此，你再生氣也改變不了眼前禮服髒了的事實。你不妨給對方一個寬容和理解的微笑吧，不要讓他像個做錯事的小孩一樣驚慌失措，讓他從你的笑容中感受到諒解。在場的人都會因你笑容和大度而對你讚賞有加。

所以，有人這樣說，如果長得不好，就讓自己有才華；如果才華也沒有，那就總是微笑著。什麼是微笑？有人說：「微笑，似蓓蕾初綻。這朵花，植根於美好的心靈，真誠和善良，在微笑中洋溢著沁人肺腑的芳香。」其實微笑就是臉部表情的一種體態語言。微笑是人類寶貴的財富，是自信的標誌，也是禮貌的象徵，微笑具有震撼人心的力量。笑與語言配合起來，是人表達高興心情的最佳方式。在宴會中要想贏得人心受人喜愛，就必須展現動人的微笑，才能在人們心中樹立魅力形象。

小金在學校是個品學兼優的好學生，大學剛畢業就去了一家比較大型的公司工作。天性文靜羞澀的她步入社會之後更加不喜歡跟人打交道，一天只知道埋頭工作，來了一個月基本上都沒有跟別人說過話，雖然她的工作能力很強，但是公司裡認識她的人屈指可數。小金知道人際關係的重要，所以很想改變這一現狀。公司的周年慶馬上就要舉行了，小金決定利用這個機會讓大家認識自己。

公司的周年慶這天，公司裡的所有員工都盛裝出席，小金那天穿了一條黑色的小禮服，化了一個精緻的淡妝，給人眼前一亮的感覺。小金也不像往常聚會那樣找個角落坐下就不管外面的世界了，今天的她走在人群裡，雖然話不多，但巧笑嫣然的樣子別有一番韻味。辦公室裡認識小金的人和她一下子親近了許多，小金也融入了這個圈子，在他們的帶領下，她也認識了不少其他部門的人，她也一改以前扭扭捏捏的樣子，跟別人介紹自己的時候，儀態大方，親和有力。那次周年會，小金給大家留下了很深的印象，從此以後別人都知道了她叫小金，而不是叫她「喂」，她工作起來也更加有激情了。

隨著社會競爭越來越激烈，人們的生活節奏也越來越快，大家只顧著忙自己的事，似乎忘記了去關心別人。在宴會這樣的特定場景下，你不可避免會遇到一些不熟悉甚至陌生的人，你要怎麼走近他們，讓他們感受到你的友善呢？其實，此時的他們心中和你一樣對這個陌生的宴會感到不自在，他們渴望被別人理解和關懷，渴望有人能幫助他們走出自我孤立的境地。這時，你給他們一個微笑，他們也會用同樣的熱情來回報你。

微笑是一種無聲的行動，是一種寬容、一種接納，它縮短了彼此間的距離，使人與人之間心心相通；微笑是交友的無價之寶，是社交的最高藝術，是人們交際的一盞永不熄滅的明燈。在宴會中，喜歡微笑著面對他人的人，往往更容易走入對方的天地。真誠的微笑能夠讓別人敞開心扉，有微笑面孔的人會讓人們不再緊張且看到希望。因為一個人的笑容就是他傳遞好意的信使，他的笑容可以照亮所有看到他的人。沒有人喜歡那些在宴會上愁容滿面的人，更不會信任他們。很多人能夠在宴會中遊刃有餘都是從微笑開始的，所以讓你的微笑愉悅自己，也愉悅別人吧！

飯局制勝攻略

在人與人的交往中，每個人都會希望自己可以給別人留下很好的印象，一種好的印象可以創造出一種輕鬆愉快的氣氛，進而使彼此建立友好的關係。一個人在社會上就是要靠這些關係才能立足，微笑是打開彼此心扉最好的鑰匙。

第八章

細節決定成敗，進餐時注意細節

不管參加什麼樣的宴會，都要注意自己的個人形象。個人形象，不僅僅是由大節構成，每一個小細節也能給別人留下無限的想像空間，它們會在無形之中揭露你的生活現狀，告訴別人你是一個什麼樣的人。所以，細節決定成敗，千萬不可因一時疏忽，讓自己滿盤皆輸。

進餐時請降低你的分貝

飯局中談話宜小聲，笑鬧也需節制，對自己和對他人都是一種尊重。

西方的一些溝通專家把聲音譽為「溝通中最強有力的樂器」，然而很多人卻不知道有時自己的聲音猶如壞了的樂器發出的噪音，其恐怖程度可媲美「超音波」，常常令周圍的人深感頭痛。

用餐中少不了談天説地，在高興之餘，切忌亂拍桌面，或以筷子敲擊杯碗唱和起來，或是高聲划起酒拳來。一定要記住，談話宜小聲，笑鬧也需節制，因為餐廳是公共場合，別人的權益必須尊重，換個角度看，也是尊重自己。

藺戴是公司新來的員工，剛剛大學畢業，性格活潑好動。這天公司在附近餐廳舉辦迎新會，以便新員工與老員工的進一步交流，為以後的人際關係打下基礎。藺戴作為新員工代表發言，可能是性格原因，也可能是想在大家面前出出風頭，藺戴開始了她的即興演講。只見她侃侃而談，超高分貝的聲音震懾全場，甚至連玻璃杯都在隱隱顫動。或許是對自己太過自信，藺戴發表了半小時的演講後還意猶未盡，絲毫不顧主持人在一旁朝她使了半天眼色，還在那裡沒完沒了地講。經理看了直皺眉頭，在場的其他同事礙於情面又不好遮起耳朵，鄰近門邊的同事都藉故閃出了門外。

蘭戴原想藉由發言給大家留下好印象，誰知由於她的聲音過於刺耳，反而讓人感到不舒服。更何況她完全忘記了自己所處的場合和身分，只顧自我表現怎麼能不讓人頭痛呢？語言溝通在宴會中是不可少的，既然如此，我們必須注意自己的聲音。要知道，動聽的聲音應該是飽滿的，充滿活力，能夠調動他人的情感，引起他人的共鳴。如果不注意聲音，以尖銳的聲音去獲取別人的注意力，只會破壞自己的形象。畢竟誰願意讓那會令自己頭痛的「超音波」刺激自己的雙耳，擾亂自己的聽覺神經，破壞自己的情緒呢？

所以，無論你是設宴還是赴宴，無論你是男士還是女士，都要注意在宴會進行中以生動的聲音表現自己，儘量以抑揚頓挫的聲調表現自己充滿激情的精神風貌，並且要明確自己的身分以及與宴的目的，把握好音量，切忌以「超音波」蹂躪宴會上的其他人，惹人生厭。

飯局制勝攻略

參加任何宴會，無論是大型宴會還是小型宴會，正式宴會還是非正式宴會，每個人都應該而且要善於與同桌的人交談，特別是與左右鄰座。在宴會上一聲不吭是不禮貌的。但是，說話要掌握時機，講話內容要看交談的對象，不要只顧一個人誇誇其談，或談些荒誕離奇的事而引人不悅。

不要成為餐桌上的「顧人怨」

飯局不是菜市場，不要東家長西家短的談論他人。

人們都說大自然賦予人一條舌頭和兩隻耳朵為的是讓人多聽少說。如果你常常參加宴會，你會發現宴會中有這樣一些人，他們似乎更應該和一些三姑六婆在菜市場去談論東家長西家短，而不是在宴會上毫不顧忌別人的承受力，像個發動機一樣，一經發動便滔滔不絕地發洩自己所知道的一切事情。

在宴會交往中，每個人都希望別人能聽自己說話，這是人的一種心理需求。如果一個人在交際中總是以自己為中心，滔滔不絕地談論自己，就容易讓人感到乏味和厭倦。所以，西方人常說：「與人交談，猶如彈弦一般，當別人感到乏味時，便要把弦按住，使它停止振動、發聲。」當你忍不住要誇誇其談的時候，請多想想它可能導致的惡果吧！

林依然前去參加老同學女兒的十歲生日宴會，她一入席，就拉著幾個好久沒見的同學滔滔不絕地訴說她的婚姻生活，內容無非是「我老公他們單位今年又發了……」「我兒子考了年級第一……」「我婆婆真煩人啊，整天囉唆個沒完，一會兒嫌我這個，一會兒嫌我那個……」見別人只是微笑應對而沒有其他表示時，她覺得可能自己的描述還不夠精彩，便接著說：「我這樣一個氣質美女沒想到現在真的只能在家做飯帶孩子了。」這時，一位同學插話說：「結婚了，肯定是花在家人身上的時間多了……」還沒等這位同學說完，林依然又開始說起來了：「要我說啊，婚姻就是愛情的墳墓，我老公追我時……現在他每天半夜才回家……還有我那個婆婆……」整個宴會上林依然都在向其他人抱怨婚姻生活的種種瑣事，讓人不勝其煩。其他同學心想：「我要是你老公，也會半夜才回來……」

此後，只要在宴會上碰到林依然，同學們都離她遠遠的，就怕她見著他們又沒完沒了地抱怨起來。其實，林依然參加宴會不過是想找一些人聽自己發發牢騷而已，她根本沒想到自己正在向別人傾倒「語言垃圾」。殊不知，她這樣做只會徒增別人的反感與厭惡，而不會得到別人的理解和共鳴。她就像一個蹩腳的三流演員一樣，演著一齣齣乏味的家庭情景劇，完全暴露出自己的愚蠢和無知，給別人徒增生活的笑料而已。

宴會中，語言交流要注意雙方的互動，而不能是一方拚命地說，而另一方毫無反應，這樣的溝通是無效的。要想在宴會上展示自己的語言才華，必須三思而後「語」，要迎合大多數與宴者的心理，即時調整說話的內容，千萬不要讓自己的舌頭超越自己的思想。

飯局制勝攻略

沒有人甘願當別人的垃圾桶，再說飯局不是閨房，與宴者也不都是你的閨蜜，沒有那麼多人喜歡聽你家的長短，一個總是絮絮叨叨的人是不讓人喜歡的，所以，飯局之上還是適當閉嘴為妙。

酒杯也要學會低頭

酒桌之上，乾杯可以拉近彼此的距離。

為什麼人們在飯桌上敬酒時要碰杯呢？有兩種解釋：一種解釋說這種方式是由古希臘人創造的。傳說古希臘人注意到這樣一個事實，在舉杯飲酒之時，人的五官都可以分享到酒的樂趣：鼻子能嗅到酒的香味，眼睛能看到酒的顏色，舌頭能夠辨別酒味，而只有耳朵被排除在這一享受之外。怎麼辦呢？古希臘人想出一個辦法，在喝酒之前互相碰一下杯子，杯子發出的清脆響聲傳到耳朵中，這樣耳朵就和其他器官一樣，也能享受到飲酒的樂趣了。

另一種解釋是，喝酒碰杯起源於古羅馬。古羅馬崇尚武力，常常開展「角力」競技。競技前選手們習慣於飲酒，以示相互勉勵。由於酒是事先準備的，為了防止心術不正的人在給對方喝的酒中放毒藥，人們想出了一種防範方法，即在「角力」前，雙方各將自己的酒向對方的酒杯中傾注一些。以後，這樣的碰杯便逐漸發展成為一種飲食禮儀。

小陳是大陳的堂弟，剛剛大學畢業，現在給大陳做祕書。一日大陳帶著小陳赴宴，一方面是讓他多見見世面，另一方面是介紹一些生意上的客戶給他認識，以便於小陳日後的工作。

席間敬酒不斷，不管誰敬酒，小陳都會隨著堂哥站起來陪敬，可是每每舉杯時，小陳的杯沿總是高出其他人許多，而且總是碰得酒杯「噹啷」作響。小陳這種表現讓大陳深覺臉上無

光，不時拿眼睛瞪小陳，可是小陳卻不明所以。

為什麼大陳不時瞪小陳呢？小陳做錯什麼了嗎？是的，別人敬酒時，站起來是沒錯的，可是小陳不知道一般敬酒時自己的酒杯都得略低於對方。如果對方是長輩且是自己的上級，一般是碰其酒杯的三分之一處略低，而且碰杯時不是拿整個杯子去碰，而是略傾斜酒杯，拿自己的酒杯口去碰，但不要太傾斜，否則有做作之嫌。如果對方是官級比你高很多的領導，或是年紀很長的長輩，你就要用雙手敬酒。另外，也不必碰得酒杯「噹啷」作響，只要發出清脆的碰撞聲即可。

酒桌文化有一定的講究，如何敬酒要因人而異，也可能因地區文化的差異而有所不同，要具體情況具體對待。除此之外，飲酒乾杯時，即使不喝，也應該將杯口在唇上碰一碰，以示敬意。喝酒時絕對不能吸著喝，而是傾斜酒杯，好像是將酒放在舌頭上似的感覺。此外，一飲而盡，邊喝邊透過酒杯看人，邊說話邊喝酒，都是失禮的行為。

飯局制勝攻略

乾杯的時候一般都要象徵性地碰杯，碰杯的時候杯子低於對方是對別人的尊重，這個細節是一個人涵養的展現。另外，當你和對方距離比較遠的時候，你可以用杯底輕碰桌面，表示和對方碰杯。

一個飽嗝、噴嚏的蝴蝶效應

餐桌之上，咳嗽、打噴嚏、打飽嗝都是失禮的行為。

科學家洛倫茲在演講中說：一隻蝴蝶在巴西扇動翅膀，有可能會在美國的德克薩斯引起一場龍捲風，從此以後，「蝴蝶效應」之說不脛而走，名聲遠揚。既然蝴蝶的翅膀扇動一下就可能引起一場龍捲風，那麼一個飽嗝招致應酬失敗的事件也就不足為奇了。

快到十點了，看著客人們一個個酒足飯飽、心滿意足的樣子，何老闆覺得差不多了，於是提出：「各位尊貴的客人，不知道上回跟幾位提過的用我們公司的模特兒作為你們公司新車發佈會形象大使的事，你們覺得如何？」其中一位客人說：「這件事嘛，之前總公司那邊的意思是希望找一些電影明星的……」何老闆見對方沒有完全拒絕，知道還有商量的餘地，忙說：「各位是知道的，我們公司的模特兒在國內的知名度並不亞於那些二線明星，可是在價位上卻低了很多，相信一定不會讓貴公司後悔的。」幾位客人一時決斷不了，便要求商量一下。過了一會兒，何老闆不小心打了個飽嗝，然後又故作無事的樣子。其中，一位客人對其他幾個客人笑著說：「要是他公司的模特兒都和他一樣，我們的新車發佈會就『五味雜陳』了。」最後，客人們表示這件事情得上報總公司，由總公司決定，便都推託有事在身，提前離席了。

何老闆一定沒有想到自己無意間的一個飽嗝，竟然會產生那麼大的連鎖反應，導致合作無法達成。所以我們在參加宴會時要注意一下微小的細節，因為我們的任何一個小動作或是小細節都可能引起對方的聯想或想像，進而影響彼此間的合作。生活中，打噴嚏是很平常的事。可是，你知道嗎，有的人的生意正是因為一個意外的噴嚏而飛了。

老金是做進出口貿易的。有一次，他邀請一位美國客戶及其夫人到五星級飯店共進晚餐。酒菜上齊後，雙方就合作表達了自己的看法，約好飯後簽約。可是在雙方談興正濃之時，老金突然打了一個響震四座的噴嚏，鼻水連著他嘴裡菜渣湯水，全噴在滿桌的佳餚上以及那位美國客戶的夫人臉上，還沒等老金說「Sorry」，那位夫人已經以餐巾捂著臉，跑出了包廂。那位美國客戶只好說了聲「Sorry！」就追自己的夫人去了。事後，那筆生意也因此泡湯了。「不就是個噴嚏嗎？至於那麼大的反應嗎？」老金非常鬱悶。

一個噴嚏真的沒什麼大不了嗎？如果你也和老金一樣想就錯了。且不說噴嚏的飛沫帶有病毒或細菌，可能導致呼吸道交叉感染疾病的可能牲，案例中老金驚天動地的噴嚏，一下子弄得對方的夫人滿臉都是，而桌上原本正吃著的飯菜裡也都是他的鼻水、口水等，實在是讓人感到噁心，生意自然無望。

那麼，在宴會中如果真的克制不住想打噴嚏怎麼辦呢？實在不能抑制，只能用手帕或餐巾紙遮擋口鼻，轉身，臉側向一方（這一方一定是沒有人的），儘量低頭並壓低聲音，這樣在不影響其他人的情況下，完成全部步驟。千萬不可錯認為打個噴嚏沒什麼，所以就震驚四座，那樣只會將你的生意一下子「打跑」。

飯局制勝攻略

餐桌之上，咳嗽、打噴嚏、打飽嗝都是失禮的行為。如果實在忍受不了，可以去洗手間，等一切平復了再出來。如果連去洗手間都來不及的話，則可以用餐巾將嘴捂住，完了之後一定要禮貌地向其他與宴者道歉。

第九章

完美謝幕，賓主盡歡

一場宴會，完美地進行到最後很不容易，所以，越到最後越是要小心謹慎，要力求賓主盡歡，切忌因小失大。要知道「一子走錯滿盤皆輸」，所以，你一定要做好宴會的終結者，保持良好的禮儀直到最後離席，為下一次設宴，或者是赴宴做好鋪墊，這樣才算是給宴會畫上了完美的句號。

切忌吃不完兜著走

打包的前提必須是由你買單，否則會給別人留下壞印象。

古語有云：「成由勤儉破由奢」，我們從小就被教育說「要勤儉節約」、「不可浪費糧食」、「誰知盤中飧，粒粒皆辛苦」。一般請客吃飯，主人都會精心準備飯菜酒水，絕對不會在酒菜數量上有怠慢客人之嫌，以至於飯菜不夠吃，酒水飲料不夠喝，所以，飯局之上，大多數情況下都是只多不少。那麼酒足飯飽後，面對那一桌桌沒有吃完的飯菜怎麼辦？我們應該遵從節約、不浪費的原則把飯菜帶回家嗎？不，有時候為了成事，也為了不落人口實，千萬不能吃不完「兜」著走。

經理為女兒設宴慶賀十歲生日，江晨帶著妻子和他們六歲的女兒佳佳一同前往赴宴。席間，經理夫婦對江晨夫婦帶著孩子前來赴宴表示感謝。經理的女兒也很喜歡江晨的女兒佳佳。由於是孩子的生日宴會，經理辦的是半自助式的餐宴，一群小孩子打打鬧鬧好不熱鬧。最後，飯局快結束了，經理的女兒找不到佳佳，便來找江晨詢問，大家四下尋找，發現佳佳正在餐桌旁邊努力地將果凍裝進自己的小背包裡。經理的女兒走上前問：「佳佳，你在幹什麼啊？」「哦，姐姐啊，你趕緊也裝點帶回家吧。我媽媽說，反正大家也吃不完，不拿回家就浪費了。」佳佳邊說邊將另外一邊的餅乾裝進小背包。經理夫妻聽了佳佳的話，愣了愣，江晨更是哭笑不得。這時大家把目光轉移到另一個餐桌旁邊的江晨的妻子，只見她正在打包桌上剩下的牛肉。意識到大家都在看她，她抬起頭尷尬地說：「我拿回去給狗吃的。」看著江晨妻子已經打包好了兩大袋食物，經理的妻子小聲嘀咕說：「你們家開寵物店也不用拿那麼多吧……」一旁的江晨尷尬的不知所措。

江晨的妻子打包可能真的是出於不想浪費的目的，可是在經理夫妻看來，江晨夫妻卻是在貪小便宜，而且完全沒有向作為主人的他們知會一聲，「第三隻手」的情節相當嚴重，還連帶把孩子也誤導了。自此，江晨一家人在經理心目中留下了壞印象。相信以後，經理一定不會那麼放心江晨，畢竟公司裡用不完的東西也有很多，誰能保證江晨不會因為「不忍」浪費而打包回家呢？

現實生活中，吃不完打包帶走是很正常的事情，畢竟在外吃飯，價格不菲，浪費糧食也實在是不應該。可是打包的前提必須是由你做東、由你買單，否則千萬不要吃不完「兜」著走，那樣不僅會破壞你的形象，還容易讓別人對你產生不信任感，進而誤事。

飯局制勝攻略

如果是你設的宴請，吃不完打包走無可厚非，但如果是參加別人的宴會，此舉卻大大欠妥，即使你是本著不浪費的心意，還是會給別人留下愛占小便宜的印象。

離席不能悄無聲息

離席時也要注重禮節，這才算粉墨登場，華麗謝幕。

當你參加宴會時，不管是中途離席，還是宴會結束後離席，都不能悄無聲息地離開。常見一些宴會進行得正熱烈的時候，因為有人想離開，而引起眾人一哄而散的結果，使主辦人急得直跳腳。還有一些人酒足飯飽之後，連聲招呼都不打就離開了，弄得主人很不高興。宴會上一定要注意避免這類煞風景的後果，因此，當你要離開時，一定要掌握一些技巧，以免引起主人的不快。

那天是朋友的生日，小冉和一幫朋友都去了，朋友很高興，大家也好久沒有在一起聚過了，氣氛相當好，於是大家商議著吃完飯再去KTV唱歌，大學時候同宿舍的小璐卻期期艾艾地說她明天還得去公司加班，大家嗤之以鼻，都嚷嚷著說：「都週六了加什麼班呢，你可別掃大家的興。」小璐雖然面帶難色，但也沒有再說什麼。

二十來個男男女女，你一言我一語，邊喝邊聊，好不容易才從飯店出來，大家數著有多少人，然後再計畫打幾輛車，這個時候，小冉突然發現小璐不見了，大家以為她上廁所去了，還沒有出來，可是等了很久都不見她出來，看著有幾個朋友不耐煩了，小冉想著打個電話問問，電話通了，小璐很久才接，小冉催她快來，說大家都在等她，沒有想到小璐卻回答說她早就回去了，她不喜歡太吵，怕大家硬拖著她去唱歌就悄悄走了。

當小冉把小璐已經回去的事情說出來的時候，那位朋友倒沒有說什麼，但是其他人卻議論紛紛，都說：「這都什麼人啊，不想去大家也不會強迫的，走了好歹也得打個招呼啊，害得大家都跟個傻子似的白等。」

也許小璐是真的有不得已的苦衷，不能等到宴會徹底結束，其實，人們都是通情達理的，實在有事不得不中途離開可以和大家商量，相信都會諒解你。但是，小璐的做法卻是相當失禮的，悄無聲息地離開是對主人的不尊重，更何況讓其他與宴者白白等了這麼久。下面就給大家說說中途離席怎樣才能不算失禮吧！

一、選擇適當時機告別

當有人中途離席時，整個氣氛勢必會受影響，談話也會被迫中止，轉而將視線集中在那些離席的人身上。所以一定要注意選擇告辭時機，不要在大家聊天聊得正熱烈時或重要的事情還未宣佈前就離開。

二、不可不知會一聲而自行離開

客人如確有急事需先行告辭，應向主人說明原因，表示歉意；同時，為了不影響他人，可以請同桌其他的人待久一點，繼續剛剛的話題，同時表示歉意，說明自己是真的有要事在身必須先告辭，不是故意要掃大家的興。

中途離席需要注意這些禮節，那麼，宴請結束時離席我們就可以一哄而散了嗎？當然不是，這個時候保持禮儀是對主人最好的尊重。那麼，我們該怎麼做呢？

一、掌握宴請結束的時間

一般宴會，主人把餐巾放在桌子上或者從餐桌旁站起身來這就顯示，宴會結束了。只有看到這種情況後，賓客才可以把自己的餐巾放下，站起身來。

一般情況下，賓主雙方均可首先提議終止用餐。主人將餐巾放回餐桌之上，或是吩咐侍者來為自己結帳；客人長時間地默默無語，或是反覆地看表，都是在向對方發出「用餐可以到此結束」的訊號。只是在此問題上，主人往往需要負起更大的責任。尤其是在客人需要「趕點」去忙別的事情，或者賓主雙方接下來還有其他事要辦時，主人更是應當掌握好時間適時地宣告結束。

二、注意離席禮節

首先，注意離席順序。離席時讓身分高者、年長者和婦女先走，貴賓一般是第一位告辭的人。身分同等可同時離座。

其次，起身要輕穩。離開餐桌時，不應把坐椅拉開就走，而應把椅子再挪回原處；男士應該幫助身邊的女士移開坐椅，然後再把坐椅放回餐桌邊。要注意，有些餐廳比較擁擠，椅背緊靠，貿然起身，會使手提包、衣服等掉在地上，或是碰到人，打翻茶水、菜餚，失禮又尷尬！所以動作要緩慢輕穩，不能猛起猛出，最好不發出聲響。

從容穩健地離開。離座要自然穩當，右腳向後收半步，然後起立，起立後右腳與左腳並齊，再從容移步。站好再走是動作穩健的展現，而匆忙離去或跌跌撞撞，則是舉止輕浮的表現。

三、**熱情話別**

散席時，客人要向主人表達謝意，然後握手告別，並與其他的客人告別。不管是什麼人，只要你參加了宴會，就有責任為自己的出席畫上圓滿的句號，否則虎頭蛇尾只會給別人留下不好的印象，在日後的社交中埋下種種隱患。

飯局制勝攻略

應邀赴宴的時候要有禮貌，宴會散場之後的禮儀也不能丟，這才算粉墨登場，華麗謝幕。做一個宴會完美的結束者，才能為下一次宴會的開始做鋪陳，所以，散場之時更要知禮、懂禮。

請客吃飯，記得帶現金

請客或吃飯都要帶足現金，做好萬全準備。

隨著社會的進步，人們消費水準的提高，刷卡消費應運而生，人們也越來越習慣刷卡消費，但很多餐廳都還是習慣收現金，所以，請客吃飯的時候最好還是帶足現金，以免尷尬。如果是臨時請客，而身上沒有足夠的現金，儘量不要讓被請的人覺察出你身上的錢不夠，可以找藉口讓他們先行離開，再打電話請朋友或家人送錢來，否則客人會誤會你請客的心不誠，而對你產生誤解，影響彼此間的合作。

田先生在一家餐廳擺了一桌酒席，邀請幾位客戶。席間大家把酒言歡，並且就一些合作項目進行溝通，最後大家還初步約定了下一步的合作。飯後結帳時，田先生拿出信用卡買單，可是被服務員告知店裡的刷卡機壞了，暫時沒辦法刷卡。無奈之下，田先生只好選擇付現。可這時他發現自己帶的現金不到兩百塊，一位客戶趕緊掏出現金買了單。田先生尷尬不已，一個勁兒地表示：「今天是個意外，下回給大家賠罪。」幾位客戶笑著表示不介意。後來在衛生間裡，田先生無意間聽見兩位客戶的對話，一位說：「想不到田總這麼一位大老闆，錢包裡竟然才有二百元，真是想不到啊！」另一位接道：「誰知道呢！這話說出去誰相信啊！說不定他想空手套白狼呢！」前一位忙問：「你的意思是他是故意吃『霸王餐』，讓我們買單啊？」另一位似有深意地說：「誰知道呢！呵呵！」田先生聽到這裡真是後悔不已啊，早知道多帶點現金了。

田先生遇見這樣的情況，主要的原因還是自己的準備不夠周全，沒有考慮到可能出現的意外情況，因此，給別人留下了吃霸王餐的印象，還有可能影響到此次合作，損失不可謂不大。現在的人們出去吃飯或消費，多半不喜歡帶現金，可是畢竟刷卡消費往往會有意外發生。所以，請客吃飯還是應該帶足了現金，免得像田先生一樣被人誤以為存心想吃「霸王餐」，而給對方留下不好的印象，進而誤事。

飯局制勝攻略

一個成功的飯局，要從全局著想，要預先考慮到宴會中出現的每一個問題，並把它們扼殺在搖籃中。提前做好全方位的準備，未雨綢繆，才能占盡天時地利人和，搶佔制勝先機。

結帳彰顯風度

買單最佳情況是自己走近櫃檯結帳。

「消費者是上帝」其實只是一個口號，它是商家的美好願望。我們消費者不能因為商家如此承諾，就真的把自己當做上帝，進而不可一世，甚至出言不遜。當我們參加完宴會後買單時，應該表現出自己的風度，給予侍者足夠的尊重，不可對服務員的工作表現出絲毫輕視，我們應該禮貌地提出合理的要求。這樣也會讓與宴的其他人感受到我們的優雅風度和良好修養，進而給別人留下美好的印象，更給成事平添一分助力。

通常來說，用餐完畢準備離去的時候，要利用服務員經過你身邊的機會，輕聲喚住他，很有禮貌地告訴他：「請幫我們結帳。」如果一時沒有服務人員走近，不妨耐心地多等一會兒。千萬不要高聲呼喊服務員，或者是吹口哨，敲打餐具，這會使你給人留下沒有教養的印象，甚至會讓餐廳的管理人員誤會，以為招待不周，還會影響其他用餐者用餐。

週五晚上，孫毅和朋友參加聯誼會。席間，孫毅風度翩翩，盡情展現自己中文系才子的風範，逗得同桌的幾個女孩子不時發出悅耳的笑聲。眼看這頓飯快到尾聲了，可是大家明顯意猶未盡。這時，孫毅提議說：「反正現在還早，明天又是週六，我們找個地方接著聊！」其他人都欣然表示同意。於是，孫毅請服務人員前來結帳。可是當天餐廳人多嘈雜，服務員人當時沒有聽清楚，這時孫毅不高興了，又大聲叫了幾聲。領班表示會儘快過來結帳。可是，過了十分鐘，依舊不見有人過來結帳。孫毅怒了，走到櫃台，對櫃台收銀員罵道：「你們這是什麼服務態度啊！結個帳等那麼長時間也不見服務人員過來。嘴上說得漂亮，顧客是上帝，你們就這麼把顧客當上帝的啊！讓上帝等你們，夠有面子啊……」收銀員一再道歉，表示會立刻給他辦理結帳手續。可是孫毅強調他的「上帝」權益受到了侵犯，餐廳服務不夠周到。

朋友拉住孫毅讓他少說兩句，可是孫毅牛脾氣上來了，怎麼也拉不住。這時，大家的注意力都集中到他們身上，那幾個女孩子深感尷尬，便藉故先走了。而孫毅還在那裡強調他的「上帝」權益！

雖然在此案例中服務員在結帳方面的確存在一些過失，但那也是由於特殊原因造成的。可是孫毅還是一再地強調自己的「上帝」權益受到了侵犯。他毫無風度的表現一下子將他之前刻意塑造的美好形象毀了，原本對他印象不錯的幾個女孩子也失望地離開了，真可謂是「賠了夫人又折兵」啊！

通常情況下，買單應該坐在自己的位子上買。儘量不要讓服務人員當著客人們的面結帳，更不能讓服務員不明主次地將帳單遞到客人手裡，給客人帶來尷尬。帳單算好交來時，主人要迅速拿起來看數目，不要讓客人知道數目。你大可以用足夠的時間去核對帳單數目，但千萬不要一項項念出來，並加加減減一番，使客人覺得你吝嗇不爽快。

最好的辦法是，自己點菜的時候心中有個數，帳單來了之後看看多不多，就迅速地就將帳付掉，這樣既不讓自己吃虧，還讓自己看起來很大方。

買單之後，不必急著離開，可以稍微坐坐，聊聊天，喝杯茶。但是，如果餐廳很忙，或者是時間很晚，而你們又是最後一批客人的話，那還是早走為妙！

飯局制勝攻略

最好的結帳方法是，獨自前往收款台結帳，或者是自己送走完客人之後，再回過頭來結帳，以免讓客人看到你所付的金額。

第十章

八面玲瓏，在觥籌交錯間巧妙周旋

請客吃飯，並不是簡單的吃飯喝酒而已，它更多的是被當做一種社交文化。一個真正的社交高手，他懂得如何把尷尬和沉悶擋在門外，把一場飯局搞得有聲有色，並在觥籌交錯間巧妙周旋，最終達到自己的目的。

口吐蓮花，不如細細聆聽

溝通是一個雙向的過程，一個人說一個人聽，那不叫溝通，叫講座。

人與人之間的關係，完全都是在溝通和交流中建立的，溝通的效果決定了彼此關係的疏密。如果一方一味地表達自己的意思，忽略對方的回應和感受，就會出現交流失衡，進而影響感情。西方有這樣一句諺語：「上帝給我們兩隻耳朵，卻只給了一張嘴巴，用意是要我們少說多聽。」傾聽他人說話是對他人的尊重，同時更能抓住對方話中的有用資訊。切莫隨意打斷他人的談話，以免斷章取義。

所以，在宴會上，學會傾聽，不但會贏得他人尊重，還能拉近彼此的距離，這樣你將獲得更多對你有用的資訊，進而知道誰對你更有幫助。

白靈人如其名，像個百靈鳥一樣，聲音美麗動聽，於是，在大學填志願的時候，她毫不猶豫地選擇了廣播電視學系，大學畢業後去一家電台做了主持人，主持心理訪談節目。她和她的丈夫是在一個朋友聚會上認識的，參加聚會的女孩很多，白靈不是最漂亮的，也不是最能說善道的，大家聊天的時候，白靈總是面帶微笑地傾聽，偶爾說上一句自己的見解。

她的特別卻深深地吸引了一個人，這個人就是她現在的丈夫何永冰，聚會結束後，他千方百計地找到白靈的電話號碼，最終將白靈娶回了家。

當有人問他為什麼在那麼多女孩裡單單被白靈吸引時，他說：「在那樣喧囂的環境裡，她安靜地坐在那裡，面帶微笑地聽別人說話，就像一朵純淨的百合，臉上閃現著聖潔的光輝，我真不敢相信這是一個電台主持人，後來我娶了她我才知道，一個好的主持人，不但要會說，更重要的是善於傾聽。」

作為電台主持人，白靈不是不會說，但她更懂得傾聽的藝術，在傾聽中顯示她的聰慧。人往往會對那些對自己感興趣的人產生興趣，不厭其煩地聽別人傾訴，這在別人看來是對自己極大的尊重。所以，人們更願意和那些尊重自己的人打交道。那些習慣於傾聽的人無疑在哪裡都會受人們的歡迎。相反的，那些只知道談論自己的人會讓人覺得他們只在乎自己的感受而不在乎別人的感受，所以，人們與之交往過一次之後，就不會有繼續交往的欲望。

真正的傾聽不只是用耳朵去聽，更要用我們的眼睛，我們的心去傾聽，所以，在傾聽的時候，我們要掌握一些小小的技巧。

一般人在傾聽時常常打斷對方講話，或發出認同對方的「嗯」、「是」等聲音。而較佳的傾聽方式是完全沒有聲音，且不打斷對方講話，兩眼注視對方。等到對方停止發言時，再發表自己的意見。不過，更加理想的情況是讓對方不斷地發言，你越保持傾聽，你就越握有控制權。只要宴會上的人不斷將各類資訊向你灌輸，你就可以從對方的話中找到線索，並利用這些線索使對方主動打開話匣子，從中選擇最適合自己的資訊，並巧妙加以運用，進而實現自己的赴宴目的。

所以，在宴會中，我們與人交往的時候要多一些傾聽，少發表一些自己的見解，更無須對談話人高談闊論，因為很多時候人需要的不是意見，而是有人能聽他說話而已。當然，用心去聽並不是讓你一言不發，恰當的時候，你還應該以適當的語言來激發他繼續講下去。否則你只聽不說，對方會以為他所說的話你並不感興趣，所以才毫無反應。

學會傾聽，是消除交往障礙的一個有效行動。當你走出自己的小天地，試著站在別人的立場上，做一個好的聽眾時，你就能夠成為一個廣受歡迎的交際高手，為自己贏得更多的朋友。因此，從下一場宴會開始，努力「傾聽」你的未來吧！

飯局制勝攻略

交際高手，少說多聽，傾聽需要做到耳到、眼到、心到，當你通過巧妙的應答把別人引向你所需要的方向或層次，你就可以輕鬆掌握談話的主動權了，你就是一個成功的傾聽者。

將 循序漸進，欲速則不達

要記住，你請別人吃飯是你自願的，這不是別人為你辦事的理由。

長城不是一天砌成的，事情也不是一頓飯就能辦成的，請客吃飯，求人辦事，並不是每件事都能辦成的，有時候飯請了，人求了，可是人家並沒有承諾幫你辦成，或者人家努力為你辦了，但因為某種原因，事情沒能辦成，在這種情況下你該怎麼辦呢？是心中抱怨甚至責怪所求之人嗎？不，你該做的是向對方表示感謝，並且在適當的時候再次宴請對方以顯示自己的誠意，這樣對方會覺得你是個講理之人，值得一交，接下來會更努力幫你辦事。而且你這樣做還為下次求對方辦事鋪好了路。

事情來臨之時利用親戚關係解決是大家最容易想到的事，但是遠親不如近鄰，面對已經疏遠了的親戚，求其辦事千萬要講究策略。這個時候，最忌急於求成。因為一蹴而就的方法不僅起不了作用，反而會讓對方產生「有事情了才來找我」的厭煩情緒，而採用循序漸進的方法，逐步使對方能夠接納你，才能收到你想要的效果。

小慧就快畢業了，在大學四年中，小慧一直都知道有位關係比較遠的親戚在學院裡任教，但是，小慧從來沒有去拜訪過他，因為怕別人認為自己是在刻意討好人家。現在快畢業了，同學們一個個都找關係、走後門，前程都有了著落，小慧也開始急了。

實在無計可施了，小慧只好硬著頭皮，放下面子請那位親戚吃飯。由於兩人的關係都比較疏遠，吃飯的時候場面就顯得比較尷尬，那位親戚沒話找話地聊，談到老家其他親戚的情況，小慧也不是很清楚，就只好含糊其辭。尷尬地坐了一個多小時之後，那位親戚說：「小慧，今天我還有點事，我們下次再聊吧。」小慧一聽這話就急了，事情還沒有說就回去了，這頓飯不是就白請了，於是急急忙忙地說出了自己的目的。

聽了小慧的話，那位親戚的臉一下子繃起來了，說道：「小慧，工作的事情，學校自有分配，我也不好參與什麼。」小慧一時語塞，只好灰溜溜地回到了寢室。

也許這個時候很多人都會感歎人情的冷暖，世態的炎涼，但是，小慧的失敗是情理之中的，在沒有給對方一個心理接納過程的情況下，突然地提出請求，別人怎麼能答應你這麼重要的事情呢？

還有一種情況就是你請了別人吃飯，別人也答應了要盡力幫你，但是天不從人願，事情沒有辦成，這個時候你應該持什麼態度呢？在飯桌上求別人辦事時，許多人存在這樣的心態，認為對方答應給自己辦事並且辦成了，理所當然地要感謝對方；假如事情沒有辦成，就是白請對方了，甚至埋怨對方。其實，這種心態是不對的。如果對方沒有答應你，可能是他真的有現實的難處，暫時幫不了你；如果對方沒有幫你把事情辦好，那他也必定是盡了自己最大的努力。沒有辦成事，可能是其他原因所致，而不是他的原因。因此，這種情況下你仍然需要感謝對方，再接再厲請對方吃飯，畢竟長城不是一天砌成的，事情也不是一頓飯就能辦成的。

所以，這個時候，我們要理解對方的難處，也要好好感謝對方，最好是請對方再吃頓飯，對其說幾句暖心的話，告訴他辦沒辦成無所謂，大家明白他盡力了，哪怕只是善解人意地說一聲「謝謝」，別人也會為你的事情繼續努力奔走的。這樣不僅維繫了人際關係，也為以後的交往打下了堅實的基礎。

如果別人為你辦事歷盡周折，但因種種原因沒有幫你把事情辦成，而你連句「謝謝」和鼓勵的話都沒有，那你就不要期望對方以後再幫你做任何事情了。

飯局制勝攻略

俗話說「滴水之恩，當湧泉相報」。在求人辦事時，你用真誠的心去感激別人，就會拉近心與心的距離，形成良好的人際關係。為了更快成事，也為了日後更好地求對方辦事，你應該將飯局進行到底，不斷在飯局上聯絡彼此間的感情，對方早晚會助你成事。

未雨綢繆，情感投資一本萬利

在日常生活中能幫助別人的時候儘量伸手，這是一種投資。

人們參加宴會總是有所目的的，別人也總存在一定的需求，因此，你一定要尋找機會滿足對方的需求，因為只有對方能提供幫助你事業有成的源頭。「源頭」多了，「活水」自然取之不盡，用之不竭，以後你需要別人幫忙時就容易多了。

當周圍的人遇到困難時，你要幫助他揚起前進的風帆；當他失去信心時，你要鼓勵他點燃自信的火焰；當他感到苦惱時，你要用體貼去滋潤他的心田；當他取得成績時，你要提醒他準備迎接更大的成功。在宴會上，我們要常懷一顆幫助他人之心，使周圍的人感覺到自己的關懷，引發對方對你的好感與信任。這樣的感情投資，往往讓你一本萬利。

周婷和李芳是從小一起長大的朋友。周婷活潑開朗，從小就很受歡迎，而李芳則文靜內向朋友很少，兩個人性格雖然很不相同，但是卻成為了無話不談的朋友，即使婚後，也不例外。也許是命運的不公，或者是上天的捉弄，周婷的生活一直都很幸福，老公事業有成，家庭美滿，而李芳的丈夫卻在半年前因逃漏稅而入獄，從此以後，李芳更加是難見笑顏。

這天，是一位知名人士嫁女兒的日子，參加喜宴的人很多，周婷攜老公出席，李芳也獨自赴宴。宴會之上，很多人都指著李芳竊竊私語，還有的親戚朋友看見李芳連招呼都不打，避之唯恐不及，李芳的頭越垂越低。看到這樣的情況，周婷知道李芳一定很難受，於是離開老公，來到李芳的身邊，用力地握住她的手。這一刻，無須言語，李芳似乎感覺到了好朋友給予自己的力量，於是，她有了抬頭的勇氣。

在那次宴會之上，周婷一直陪在李芳的身邊，和她親昵地聊著天，看到周婷和李芳如此親熱，其他人也有所顧忌，議論之聲也小了很多。在以後的日子，李芳每次提到這件事，都感慨萬千：「患難時候見真情，我李芳有周婷這樣的朋友，值啊！」

周婷以友情為重，照顧到李芳的心情，無疑為雪中送炭，使李芳的心靈得到撫慰，這必定會使她們的友誼更深一層。試想一想，像周婷這樣的朋友，誰不想要呢？

老子說過：「盡力照顧別人，我自己也就更加充實；盡力給予別人，我自己反而更加豐富。」這就需要至誠，以最完美的德來輔佐這個最崇高的誠，使它感人至深。他人有恩德於你，雖是一碗飯的施捨，不能忘記；你有恩德於他人，雖是生死之恩也不能企望報答，不能向他人提及。這也就是古代聖人所說的「施恩德於人不望回報，受到他人恩惠千萬不能忘記」的道理。

孔子也說：「以富貴而下人，何人不尊；以富貴而愛人，何人不親。」意思是說：以自己的富幫助他人富的人，即使想貧窮也不可能；以自己的貴去幫助他人貴的人，想賤也不可得到；以自己的達幫助他人達的人，想窮也不可能。

有很多人都是這樣想的，求人是一種短、平、快的交易，何必花那麼多的冤枉心思去搞馬拉松式的感情投資呢？這是十足的目光短淺。俗話說得好：「平時多燒香，急時有人幫。」真正善於求人的人都有著長遠的戰略眼光，早做準備，未雨綢繆，這樣在緊急情況時就會得到意想不到的幫助。

亦舒說：「人們日常所犯的最大錯誤是對陌生人太客氣，而對親密的人太苛刻。」很多人都有這種毛病，一旦關係親近了，就不再覺得自己有責任去維護它了，常常會忽略雙方關係中的一些細節問題。例如該通報的資訊不通報，該解釋的情況不解釋，總認為「反正我們關係好，解釋不解釋無所謂」，結果日積月累，形成難以化解的問題。而更不好的是人們關係親近之後，總是對另一方要求越來越高，因為我們關係親近，所以總以為別人對自己好是應該的。如果對方稍有不周，就口出怨言，「怎麼能這樣呢？要是別人還可以原諒，但我們是朋友啊」，如此不尊重朋友的態度必然會損害雙方的關係。

由此可見，情感投資應該是經常性的，在人們的日常交往中不可沒有，在宴會這樣特定的場合下更是要從小處細處著眼，事事落在實處。

飯局制勝攻略

有些相互仇視的對手，往往原先是最親密的夥伴。為什麼走到這一步？往往是忽略情感投資的結果。不管是不是你的朋友，多一個朋友就少一個敵人，在日常生活中能幫助別人的時候儘量伸手，這是一種品質，也是一種投資。

話題投機，事半功倍

要想贏得他人好感，就必須留意他的興趣、愛好，這樣才能投其所好。

在宴會中，要影響、說服你周圍的人，說話技巧有著不可估量的作用，它可使你更順或以更小的代價來達到目的。人都有覓求同類或知音的傾向，要想使對方將你納入知音之列，必須投其所好，而千萬不能惹人反感，叫人生厭。因此，我們應當學會在不同情境之下，與不同的人說話的技巧，以達到事半功倍的效果。

對性格外向、喜歡交際的人，在宴會上當眾與他們說話，一般不會有什麼副作用；而與性格內向、膽小怕事、敏感多心的人交談則容易產生副作用。此時，不妨單獨與其隨便聊一聊，才容易達到說服的目的。

求人時只一味地談自己的事，並不停地說「請你幫忙，請你幫忙」之類的話，容易讓人感到萬分的嫌惡和不耐煩。假如想把自己的請求向對方說明，就應該先擺出願意聽取對方講話的姿態來，有傾聽別人言談的誠意，別人才會願意聽你說話。

談話的話題應該視對方的情形而定，再好的話題，若不能符合對方的需要，就無法引起對方的興趣。最好是想辦法引出彼此共同的話題來，才能聊得投機，然後再設法慢慢地把話題引導進自己所要談論的範圍裡。

小葉畢業後做了一名編輯。有一次她需要向一位名作家邀稿。那位作家一向以難於對付著稱，所以小葉感到既緊張又膽怯，心裡惴惴不安。開始並不成功，小葉並沒有放棄，終於，這位作家應邀赴宴。飯局剛開始的時候，形勢對小葉很不利，因為不論作家說什麼話，小葉都說「是，是」或者「可能是這樣的」，局促不安的他無法開口說明要求作家寫稿的事。於是，他決定準備改天再來向他說明這件事，今天隨便聊聊天就結束這次宴請。

就在飯局快要結束的時候，突然間他腦中閃過一本雜誌刊載的有關這位作家近況的文章，於是就對作家說：「先生，聽說你有篇作品被譯成英文在美國出版了，是嗎？」

作家猛然傾身過來說道：「是的。」

他繼續說道：「先生，你那種獨特的文體，用英語不知道能不能完全表達出來。」

「我也正擔心這點。」作家饒有興趣。

他們滔滔不絕地說著，氣氛也逐漸變得輕鬆，最後他順理成章地提出作家為他寫稿的要求，作家也爽快地答應為他寫稿子。

這位不輕易應允的作家，為什麼會為了編輯一席話，而改變了原來的態度呢？因為他認為這位編輯並不只是來要求他寫稿，他不僅讀過他的文章，對他的事情也十分瞭解，不能隨便地應付。所以，我們在跟人打交道的時候，不妨讓對方以為自己對他的事非常清楚，這樣不僅能拉近人與人之間的距離，還可以像那位編輯一樣，在心理上佔優勢。

談話的內容不要總是老生常談，這樣容易讓人厭倦，同時也讓自己「畫地為牢」，限制了自己。無法拓展談話的範疇，就不能使對方瞭解自己，更無法與對方進一步深入交往了。無論談到什麼問題，都要把自己目光所及、腦中所思的傳達給對方，對任何問題都能發表獨到的見解是最重要的。但也不要誇誇其談，顯示自己什麼都懂。

在宴會中閒聊，一般人都是說些身邊瑣事，這或許是想向對方表示親切。而在正式的交談中，不要把老婆、兒女當做談話的內容。有些人習慣性地講幾句正經話後，就把話題轉到老婆、兒女身上，常把老婆、兒女掛在嘴邊的人，總給人目光短淺、胸無大志的感覺。

談話先從政治、經濟等比較嚴肅的題目開始，然後再涉及文學、藝術、個人的興趣方面等比較輕鬆的話題。總之，將自己的觀念見解堂說出來，使得彼此都能有共同話題，才是最好的談話。

談話的語言要視對方的修養而選擇，做到能雅能俗，而不要格格不入，才不會使對方產生反感。一個能夠影響別人的人，一定要注重禮貌，用詞考究，不致說出不合時宜的話，因為他知道不得體的言辭往往會傷害別人，即使事後再想彌補也來不及了。如果一個人舉止穩重，態度溫和，言辭中肯動聽，雙方自然能談得投機。

飯局制勝攻略

在宴會中，要想贏得你周圍人的好感，就必須時刻留意他的興趣、愛好，明白他的意圖，理解他的心思，這樣才能投其所好。然而，對手的意圖往往捉摸不定，必須下工夫掌握他的心意，揣摩他的心理，然後儘量順應他，甚至還能搶先一步，將對手想說而未說的話先說了，想辦而未辦的事先辦了。自然，他給你的回報也是沉甸甸會是可觀的。

循循善誘，掌控他人於無形

瞭解他人動機指向、思維形態、行為方式，認識他人的需要。

在飯局上，總有那麼一些人，他們喜歡把自己要說的意思反覆說明，詳盡得讓人厭煩。遇到這種情況，你是任憑對方繼續無休止地發揮，還是立即打斷他的話？這兩種方法都不合適，你應當以柔和的方式誘導他進入你的話題，如「簡潔一點說，你應該這樣表述……」這種行為稱為「誘導」。在飯局上，與別人在一起討論談話時，不要一開始就發表與其相左的意見。你們彼此追求的目的是相同的，而你們的唯一差別是方法上的不同，所以一開始你就讓對方回答「是」，而千萬不要讓他說出「不」來。假若一開始雙方就意見不合，那他會產生對你的成見，你就算再說上千言萬語，而且是句句實言，但是對方早已存下了不良的印象，再要使他改變過來，就十分困難了。所以求人辦事，先得迎合對方的心理，使對方覺得這次交談是商討，而不是爭辯。

道理何在呢？因為每個人都要維護自己的尊嚴，他開頭用「不」字，即使後來他知道這「不」字說錯了，他也會為了他的自尊，將「不」字堅持到底，所以我們要絕對避免讓對方一開頭就說「不」字。要使別人做出「是」的回答，技巧很簡單，但往往被人們忽略。

小江是一個汽車廠的優秀業務員，那天，他接待了一個非常難纏的顧客，整整一早上都沒有決定要買什麼樣的卡車。但是，這是一筆大單子，小江是不會輕易放棄的，眼看要吃中飯了，還沒有搞定，但是小江也不急，吃飯的時候不正是談業務的最佳時機嗎？

到了飯店，小江順理成章地把客戶請到了附近的小餐館，為了表現出自然，不可以討好，兩人就點了幾個菜，一頓便飯的樣子，小江邊吃邊話家常，吃完飯後，兩人也熟識了不少，借喝茶的時候，小江很自然地把話題扯到了業務之上。小江先問道：「請問你需要用多大噸位的卡車？」顧客回答道：「很難說，大致兩噸吧！」小江又問道：「有時候多，有時候少，對嗎？」顧客回答：「是這樣。」小江接著問：「究竟要哪種型號的卡車，一方面要看你運什麼貨，一方面要看在什麼路上行駛，你說對嗎？」顧客回道：「對，不過……」小江不等他話說完，趕緊說：「假如你在丘陵地區行駛，而且你們那裡冬季較長，這時汽車的機器和車身所承受壓力是不是比正常情況下要大些？」顧客認為小江的話很有道理，贊同地說：「是這樣的。」小江：「你們冬天出車的次數比夏天多吧？」顧客像遇見了知音：「可不是，多多了，夏天生意不行。」小江繼續問道：「有時候貨物太多，又在冬天的丘陵地區行駛，汽車是否經常處於超負荷狀態呢？」顧客老實地回答：「對，那是事實。」小江見如自己所料，繼續問道：「從長遠的眼光看，是什麼因素決定買車型號時，是否留有餘地？」顧客有了聽小江意見的意思，問道：「你的意思是？」小江沒有回答，繼續問道：「從長遠的眼光看，是什麼因素來決定買一輛車值得不值得呢？」顧客說：「當然要看車的使用壽命。」小江又問：「一輛車總是滿負荷，另一輛車從不超載，你覺得哪一輛壽命更長些呢？」顧客肯定地說：「當然是馬力大、載重多的一輛。」於是，小江給顧客提出了建議：「這樣看來，我建議你買一輛承載重量為四噸的卡車可能更划得來。」

顧客覺得小江是設身處地為自己著想，對他的看法也表示贊同，馬上決定跟小江買車。

上面這段對話，讓人不得不佩服小江的業務能力。他在平淡無奇的談話中，設法讓顧客跟著他的思想走，進而達到成功推銷的目的。這種說服的方法，是兩千年前希臘大哲學家蘇格拉底所用過的「蘇格拉底式的辯證法」，就是以得到對方的「是」的反應，使對方不斷地說「是」，無形中把對方「非」的觀念改變過來。

可以說，誘導是會話雙方的一種意識交流，假如會話雙方意見相悖且相互攻擊，肯定無法促成心意的相互交流，說不定還會使說話者產生消極情緒。因此，當除你之外的其他聽眾由於說話者過於唆的語言，而失去了對談話內容的興趣，或是由於談話內容抽象，使聽者無法瞭解說話者的本意時，你就應該積極地參與會話，將說話者的意思誘導到自己理想的本意中來，進而掌控整個談活過程。所以，以後在飯局上求人辦事時，我們可以採用蘇格拉底的方法，使對方多說「是」，減少對方的反感。

飯局制勝攻略

在宴會現場，要想認識和掌控他人，除了從一些表面現象入手外，最重要的是應當瞭解他人的動機指向、思維形態、行為方式、情感、狀態及其變異，而瞭解這一切的入口就是認識他人的需要。人的需要就是人的本性，你有自己的需要，同時與你交往的人也有他自己的需要。既然人不能「獨生」，交往是雙方共同的事情，交往的成功與否也就取決於雙方的需要是否協調。

將 活用激將法，得償所願

面對拖拖拉拉、猶豫難以下決定的人時，激將法是必要的。

激將法是以語言資訊的反作用力作為刺激，激起對方按照說話人的意向說話或回答問題，也就是俗話所說的「請將不如激將」。在飯局上，與對手交涉的過程中，可適當使用這種方法，以刺激對方做出有利於己方的反應。

小王是公司裡的最佳銷售人員，但是最近，他卻遇見了一個極其難纏的客戶，即使對產品已經很瞭解了，也有了要買的打算，但是因為一些顧慮，遲遲不肯下決定。於是，小王決定請客戶吃飯，然後趁機讓他簽單。

那天，小王故意在臨近吃飯的時間點去找這個客戶面談，然後順理成章地請他進了附近的餐廳，酒至半酣的時候，小王對客戶說：「每一個人活在世上，都有他自己的信仰和人生目標。怎樣才能實現自己的人生目標呢？只有憑藉自己的堅定信念，不懈的努力，頑強的意志才能最終實現這些。正因為它是人生中最偉大的事業，才會有如此多的有識之士為實現這一目標花費畢生的精力。我們要問，他們的動力源自何處？他們的動力主是來自於他們的信仰，他們心目中的崇高的人生目標，它可以激勵著人們進行永不停息地追求。」

用戶端著酒杯，點了點頭，說了聲：「沒錯！」小王繼續說道：「先生，我知道你在心裡已經接受了我們的產品，但是心裡還有一些顧慮，您的顧慮我很理解。在世界上，很多事情就是這樣的。一個人對他愈是感興趣、愈是喜歡的東西，就愈是不敢勇於追求，愈是不敢積極地去爭取擁有它。這是一種很可悲的心態。您說是不是？」客戶聽了這些，覺得有一定的道理，又點了點頭。

於是，小王就接著說：「是啊，自己認為有價值、有意義的東西，怎能不去努力追求呢？但就是有這種人，我認為他們的生活實在是沒多大意義，至少可以說他們是沒勇氣的。這種人遇到自己喜歡的東西卻不努力去爭取，遇到機會卻沒有勇氣去抓住，使得一生都碌碌無為、平庸庸，理想依舊是夢中的理想。我經常想，這些人為什麼不果斷一點呢？為什麼不積極去爭取和把握機會呢？我想，先生您一定不是這種人吧？」

客戶聽到這裡，不自覺地說：「當然。我當然不是這一種人。」

小王見火候已到，於是說道：「您當然不是這一種人。正因為如此，我們才如此欣賞您。現在，如果您覺得這種產品還行的話，如果您對我們的產品和服務沒有什麼異議的話，就行動起來吧。在這裡面簽下您的名字就行。」說著，小王就把訂單遞到了客戶面前。

客戶被小王激將，再也不能像以前那樣猶豫了。因為客戶不承認自己是那種不果斷、遇到機會猶豫不決的人，想到自己確實對產品和服務沒有什麼異議，想到自己確實需要購買這種產品，便迅速與小王簽下了訂單。

在銷售過程中，客戶不願意簽單時，銷售人員採用激將法以「逼迫」客戶不得不立即簽單，是促成訂單的一種有效技巧，是高明的銷售人員常用的手段之一。激將法主要分為反語式激將、及彼式激將、貶低式激將這三種類型。

一、反語式激將

它是將正話反講，故意用扭曲的資訊和反激的語氣來表達自己的意見，以激起對方發言表態，達到預期目標的方法。

一家中外合資公司的總裁與一家小工廠廠長在飯局上進行一次合作的談判。

廠長：「總裁先生的魄力，的確比我們大得多，簡直是一個大如牯牛，一個小如毫毛。這麼大的魄力，雖然讓我們佩服，但我們實在不敢奉陪，只能停止合作。」

總裁：「好吧，我再讓利一成？」

廠長：「不行，按我方投資比例，應當讓利兩成。」

總裁：「行，本公司原則上同意……」

廠長不說對方「黑心貪利」，而說反語「魄力大」，又以「不敢奉陪」的「哀兵」戰術以退為攻，激發對方就範。

二、及彼式激將

及彼式激將法是以一種推己及人，將心比心的心理效應，激發對方作角色對換，設身處地理解己方的處境。

一位公司總裁想設宴款待合作公司的一位部門女經理。在會議結束後總裁詢問女經理：「經理肚子餓嗎？」

女經理客氣地搖搖頭。總裁知道對方是不好意思接受宴請，於是他換了一種說法：

「經理早上出來，怕您等我，我沒來得及吃早飯，只隨便吃了兩三塊餅乾，就匆忙趕來接您了。現在我想去附近的餐廳吃點東西，不知您能否賞臉陪我吃個飯，一個人吃飯太孤獨了啊。」

女經理聽了，欣然點頭……

三、貶低式激將

這是說話人貶低他人以促使發話生效，進而引起生動的言語激將方法。

晚餐的聯誼舞會上，一位女賓邀請某中年男經理跳舞，對方以「我不會跳」或「跳不好」來推託。於是女賓就說：「哪兒是不會跳，您八成是『妻管嚴』，怕跳舞被太太知道，回家後被罰跪洗衣板吧？」對方被貶受激，仰頭大笑，終於邁出舞步。

由此看來，在宴會中，恰當的激將，能使對方按照你的意圖做事，進而使你順利地達到目的。

飯局制勝攻略

當你面對一個做事拖拖拉拉、猶猶豫豫難以下決定的人時，用語言激將也會見到奇效，比如說「一個有出息的人，不必回家跟老婆商量。」「只有能自我判斷、毫不遲疑地作出決定的人，才配稱為人中之龍。」聽到這樣的話，誰不想成為一個有出息的人，誰不想出人頭地啊？在血脈膨脹的時候，做出決定是常有的事。

第十一章

閱人如閱書，巧妙應對難應酬的人

人生在世，並非所有的事情都能順心如意，也並非所有的人都能對你友好和善。我們生活的世界異彩紛呈，也就造就了性格各異、五花八門的人。飯局是世界的一個縮影，更是社交的重要場所，在飯局之上，難免會碰到刁鑽古怪的人，面對他們的刁難，你如何泰然處之呢？

滴水不漏應對笑裡藏刀之人

知人知面不知心，有時想要看出一個人最真實的那一面很難。

古語有云「無事獻殷勤，非奸即盜」，人與人之間的相交都有一個相互原則，一個不熟的人，甚至是陌生的人突然之間對你如此親密，大多數情況下都不見得會是一件好事。飯局如戰場，席間，當你決定要相信一個人之前，一定要先對他進行觀察和考驗，不要被表面現象所迷惑，否則，會讓那些對你有不良企圖的人乘機而入。

韓平和孫輝是一起進公司的，兩人的工作能力都很強，平時兩個人關係還過得去，需要合作的時候也能共同把工作做好。最近，公司有意提升一個人當部門經理，韓平和孫輝的希望是最大的，兩人也把對方當做了競爭對手，表面不動聲色，暗地裡各自都很努力。

這個月，韓平的一個重要工作圓滿成功，慶功宴上大家都圍著韓平祝賀。總經理也當著眾人的面大大地把韓平誇獎了一番，孫輝也走上前來把他恭維了一番，看到他笑容可掬的樣子，韓平不禁為以前把孫輝當做競爭對手而羞慚，覺得自己是以小人之心度君子之腹了，於是毫無嫌隙地和他聊著，在眾人的眼裡，他們真的是一對好搭檔。孫輝離開之後，韓平見孫輝和其他人笑容可掬地聊著天，不時地耳語幾句，韓平也不以為意。

酒宴中途，韓平突然感覺周圍的氣氛開始有些異常，大家都在悄悄地議論著什麼，他如墜五里霧中，不知原因何在。瞭解真相後的韓平怒氣衝天，原來是孫輝，別人眼裡他的好搭檔無中生有地傳播了許多對他不利的謠言，諸如「道德敗壞」「暗箱操作」等。虧得自己剛才還責怪自己，原來他是這樣的小人，下次可要對這個人多防備點了。

不難看出，孫輝就是一個笑裡藏刀的小人，在取得韓平的信任後卻狠狠地捅了韓平一刀，使本來光芒四射的韓平一下子成了人人防備的陰險小人。如果在宴會上韓平能夠堅定自己的立場，對他有所防備，和他保持距離，讓別人看出他們之間的嫌隙，也許別人會覺得這是孫輝對韓平的報復，會對流言產生懷疑，然而，此時，這樣的話出自他的搭檔口中，讓人不得不信。

由此可見，看人不能看表面，往往那些表面顯得溫和謙恭，很是大度的人，實際上卻是心胸狹窄、喜歡猜忌、陰險狠毒的小人。不要一味地給自己一個「對方是善良的」這樣的假設，因為每個人都有私心，你無法阻止他們可能利用你的善良去達到自己的某些目的，所以千萬不可掉以輕心，被小人利用。如果你在宴會上發現有下述幾類人圍繞在你的身邊，就一定要加倍小心了，因為他們十有八九是笑裡藏刀的人。

第一，他們的經歷曲折動人，甚至就像電影裡的情節一樣，波瀾起伏。比如蒼涼的身世，婉約而淒美的愛情故事，遇人不淑的人生際遇。

第二，他們常常自稱跟你的經歷出奇地「相似」，每當你說到某件事的時候，他們就會應和，總是給你一種「同是天涯淪落人」的感覺。

第三，他們處處總要跟你一樣，比如，本來你們從外在到內在，都有著顯而易見的差異，但他們總是殷勤地說：「我們相似得就像雙胞胎啊！」或者他們的口頭禪是：「我跟你簡直是一模一樣……」

第四，總是對你表現出過分的熱情，喜歡給你一些小好處，當你說想認識宴會中的某個人時，他們會不顧你需不需要地提出幫助你引薦，卻從沒付諸到實際行動中。

第五，沒來由地拉攏你，依賴你。甚至為你安排一些活動，喜歡說「我們下次一起去……」表面聽上去，他們好像很熱心，但實際上，如果你真的去做了，他們就會變著法子排斥你了。

另外，那些喜歡笑裡藏刀的人，在宴會上，一般喜歡低著頭，不太去正視別人的眼睛，目光閃躲不定，說起話來總是會有諸多修飾之詞。而且笑起來的時候，顯得很緊繃，不夠放鬆。通常情況下，他們舉止都顯得很輕浮。應對笑裡藏刀的人，最好的辦法是表面上跟他維持友好關係，暗地裡卻要防範他，與他的交往只限於公事上的交流，個人隱私甚至其他事都一概守口如瓶。只要你能做到滴水不漏，他就對你無可奈何，不再糾纏於你了。

飯局制勝攻略

小人們利用你的善良，目的是想讓你服從自己，在自己設計好的圈套裡行事，以此達到獲得利益的真正企圖和目的。所以，在飯局之上，不要隨意讓自己的同情心氾濫，那些和你有利益衝突的人不會無緣無故地突然冰釋前嫌，所以，不要讓一時的表像使自己麻痺大意，讓別人有機可乘。

將 敬而遠之應對自私自利之人

一旦有人向你嘲笑某人犯錯也不自知時，你便要小心這個人了。

為了在社會中立足，明哲保身無可厚非，古人云：「各人自掃門前雪，不管他人瓦上霜。」這句話原本是讓人不要理分外的事，要專心打理自己分內的事，但這反映出人自私的一面。在宴會中，難免遇到自私自利的人，這種人心中只有自己，凡事不肯犧牲，總是把自己的利益放在前頭，只要在生活上、交往或在工作中涉及一些利害問題時，其自私的本質立刻會暴露無遺。更有甚者，在和自己的利益沒有衝突的情況下，做一些損人不利己的事情，讓人不得不懷疑其人品有問題。

當然，自私自利的人一般情況下，在沒有利益衝突時，倒不會對你不利，其自私自利的一面不易被人發覺，但在日常生活中我們也不難發現誰是自私自利的人。比如從不吃一點小虧，一夥人吃完飯之後總是縮在後面不願買單，或者是眼見別人犯錯，不但不提醒別人，更不會拔刀相助，甚至是嘲笑別人，你便要小心這個人了，因為，他絕對是個不折不扣的自私自利之人。

一次，公司舉行年終晚宴，小竹和小梅一起進場。過了一會兒，小梅見到一個熟識的客戶便走了過去交流，小竹留在原地與幾個同事聊著天。這時，同事小佳走過來對小竹說：「你怎麼跟她一起來啊？」

「哦，我們在樓下碰到了，就一起上來，怎麼了？」小竹不以為意地說。「啊？你都沒注意啊，她的肩帶繫反了，她肯定不知道，還跟客戶有說有笑呢！等她發現了，一定哭死，呵呵！」小佳幸災樂禍地說。小竹聽了，表面不動聲色，但她心裡明白以後對於自私自利的小佳該敬而遠之。

這樣的宴會，與宴的人都是業內熟人，稍有不慎就會將自己好不容易建立的美好形象推翻，小梅的疏忽讓自己陷入尷尬的境地而不自知，作為同事的小佳，發現了這個問題，悄悄地告訴小梅也只是舉手之勞而已，然而小佳卻選擇了冷眼旁觀，甚至是嘲笑小梅，這將她的自私自利表露無疑。

應對這種自私自利的人，最好任何時候都對他們保持一種敬而遠之的態度。當然，這種人雖惹人反感，招人討厭，但如果不害人，對整個宴會也沒什麼損害。

人們之所以普遍地對這種自私自利的人感到厭惡，是因為人們僅僅按道德標準去衡量人，以其作為社會交往的準繩。雖然這可能有些片面，但是當我們以一種利益標準作為社會交往的尺度時，你就不應對他們採取「敬而遠之」的態度了。況且，每個人都有自己的優點，使其發揚優點，也可以給人帶來收益。所以，你完全可以利用宴會這一特定的場合，巧妙地利用這種人助你成事。所以，也不應該將他們一棍子打入「冷宮」。

飯局制勝攻略

你要明白自私自利的人心中只有他自己，你大可不必對他們抱有太高的期望，也沒有必要希望他們能夠像朋友那樣以義為重、以情為重。與這類人的交往關係可以是一種交換關係。

小心謹慎應對深藏不露之人

深藏不露的人防範心極強，是非常工於心計的人。

參加宴會的時候，最難交往的不是前面說的笑裡藏刀之人，也不是自私自利之人，而是深藏不露之人。深藏不露的人你很難猜到他們心裡在想什麼，而他們也不會輕易讓你知道他們在想什麼。這種人，我們看不透他們的心思，但在宴會中有時又不可避免地要和他們打交道，那麼，該如何應對呢？

深藏不露的人防範心極強，是非常工於心計的人，大多數情況下就是為了在與別人打交道時獲得主動，或者出於某種目的不願讓別人瞭解自己，而把自己保護起來。深藏不露的人最忌諱的是別人太瞭解他，看穿他的心思，他們總是說著不著邊際的話，一談到正題就顧左右而言他。但是，他卻樂於更多地瞭解對方，進而在各種矛盾關係中周旋，使自己處於不敗之地，所以他在宴會中會扮演老好人、和事老的角色。

對於深藏不露的人，你應該有所防範，警惕不要為其所利用，成為他的工具，不要讓他得知你的底細，進而對你產生不利影響。

這天是馬文濤父親的六十大壽，平常和馬文濤有業務關係的人都去祝壽了，林楓也不例外。

在宴會上，林楓發現有一個人和所有人都聊得來，他對每個人都很友好，對餐桌上的每個人都照顧有加，時時彰顯著自己得當的風度，於是林楓也想著去和他聊聊，或許還可以結識一個朋友。

林楓端著酒杯向那個人走去，禮貌地相互問候之後，林楓即明顯地感覺到這個人不是自己想像中的那樣友善簡單，雖然他極力偽裝，但是林楓還是感覺到了他和自己交流時的防備。

林楓自覺無趣，和這個人簡單交談了幾句就找了個藉口離開了，也許是好奇心作祟，林楓不時地觀察那個人，他發現那個人自始至終都保持著恰到好處的風度。

林楓總覺得這個好好先生並不是他表面看到的那樣，他的眼睛深邃得彷彿看不見底的湖水，語言極為含蓄，不管林楓說什麼他都波瀾不驚，應答得滴水不漏，小心翼翼，他的城府深得讓人望而卻步。

是林楓想多了嗎？其實不是，種種跡象顯示，林楓遇到的這個人很可能是個深藏不露的人。

深藏不露的人自我保護意識很強烈，也許他是一位曾經經受過挫折、打擊和傷害的人。過去的經歷使他對社會、對他人有一種強烈的敵視態度，進而對自己採取更多的保護。

一般來說深藏不露的人有兩種。一種是在人際交往中總是不顯山、不露水，但是，這種生活方式不過是他們自我保護的手段罷了，一般不會對人產生傷害。對於這種人，你應該選擇與其坦誠相見，以真誠感動他。這種人並不是為了害人，而是為了防人。你對他不應有什麼防範，為了真正達到溝通的目的，甚至可以對他敞開你的心扉，讓他對你放鬆戒備甚至對你產生好感，這樣，你和他的進一步交流就順理成章了。

還有一種是他可能對某些事情缺乏瞭解，拿不出更有價值的意見。在這種情況下，為了掩飾自己的無知，以不置可否的方式或含糊其辭的語氣與人交往，裝出一副城府很深的樣子。對這種人你不必有什麼太高的期望，也不必要求他提供某種看法或判斷，你大可以順應他的深沉，看穿不說穿，既保全他人的面子，又彰顯自己的風度，為自己獲得好人緣。

總而言之，應對真正城府較深的人，如果必須與他們交往，最好的辦法就是凡事謹慎，然後再決定自己該怎麼做；千萬不要冒冒失失，斷了與其交流的途徑，這樣就得不償失了。

飯局制勝攻略

事實上，在宴會上的人際交往的目的是瞭解彼此情況，以利於相互的合作或問題的解決。因此，彼此都會挖空心思去刺探對方的情報，以期使對方露出他的「廬山真面目」來。但是與深藏不露的人交往，你只有把自己預先準備好了的資料拿給他看，讓他根據你所提供的資料，作出最後決斷。

笑而不語應對搬弄是非之人

搬弄是非的人和自私自利的人一樣，喜歡把自己的利益放在第一位。

喜歡搬弄是非的人在宴會中表現得相當活躍，他們出席宴會不為別的，就為挖空心思打探別人隱私，東家長西家短地在背後說別人的壞話，彷彿狗仔隊一樣，除了無事生非，就是故意找藉口與人爭執，以此打響自己在宴會中的知名度。

搬弄是非的人和自私自利的人一樣，喜歡把自己的利益放在第一位，但其思想非常狹隘，有幸災樂禍的病態心理，他們在宴會過程中總是以挑起事端為己任，意圖在別人分歧之間謀取個人利益。他們往往主觀臆斷、妄加猜測；他們幸災樂禍，干涉別人的隱私；他們嘰嘰喳喳，不負責任地傳播小道消息。另外，他們在搬弄是非的同時嘟嘟囔囔，似乎對什麼都不滿意，無論大事小事，都是牢騷滿腹。但是，儘管他們表現得如此，你也不可信以為真，甚至對他們表示理解和安慰，那樣只會中了他們的圈套，成為他們搬弄是非的主角。

阿敏去參加一個朋友的宴會，一去才知道，大多數人都不是很熟，阿敏感覺有點局促不安。這個時候，一個叫小雨的女孩主動跟她聊起天來，阿敏頓時沒有那種緊張感了。

阿敏本來不是個善於言談的人，但是小雨非常活潑，阿敏覺得跟她在一起很輕鬆，於是就跟她天南地北地聊起來，兩個人說得正開心，一個女孩迎面走來，向她們微微頷首，舉止端莊嫻雅，人也長得極美，阿敏見人家跟自己打招呼，於是也笑了笑。

那個女孩剛轉身，小雨就貼著阿敏的耳根說道：「你不認識她啊，她叫蘭心，看起來斯斯文文的，本性可不是這樣的，聽說有兩個男人為了她大打出手，還差點出人命！」

阿敏笑了笑，她知道八卦是女人的天性，也就不以為意。

沒有想到的是，小雨見阿敏不相信的樣子，滔滔不絕起來，把蘭心祖宗八代的事情都翻出來講了一遍，最後，小雨見阿敏自始至終都微笑著傾聽，不發表任何意見，才沒有了再說下去的興致。

阿敏的做法極其聰明，面對小雨這樣愛搬弄是非之人，她並沒有參與其中，用不發表任何意見的方法把自己置於是非之外。是是非非幾乎存在社會的每一個角落，可能你是一個很有正義感的人，忍不住要斥責搬弄是非的人幾句；也有可能你是一個眼裡容不下任何沙子的人，聽到別人張家長李家短的就會拂袖而去，但不管你是怎樣的人，奉勸你一句，是非不要輕易招惹，搬弄是非的人也不要輕易得罪，這種時候，我們要以保護自己為最終目的，不為自己埋下安全隱患。

搬弄是非的人最明顯的特徵就是油嘴滑舌，他們往往很會說話，很通情達理，擅長以三寸不爛之舌「玩轉」一會場，並在短時間內獲得比較好的人緣。

所以，人們有時會把參加宴會的主要目的告訴他，或者把在場的某位曾有過生意往來人士的褒貶評價和是非好歹也傾囊吐出。用不了幾分鐘，此話便被傳揚出去，全場的人都知道了，而且他會在你的原話上添油加醋，力求誇張，將你和其他人的關係弄得越來越緊張。結果是，你因一言之失，不僅得罪了兩個人，還使更多的人對你顧忌重重。那麼，你該怎樣應對這種人呢？

一、沉默是金

與好搬弄是非的人相處時，一定要注意，涉及他人是非的話不說，關係到自己利害的話不說，不給挑撥離間者留下任何可利用的把柄，讓他無處下手、無事生非。如果是為了工作上的交流，你可多談積極的，少談或不談消極的，或者講些好聽的話，以進一步促進彼此間的合作關係，但決不牽連任何人際關係。

二、善意規勸

在背後議論別人是一種不道德的行為，所以在適當時候你可以見機幫助搬弄是非的人改正不良習慣。幫助搬弄是非者改正惡習，行之有效的辦法，是尊重對方，以朋友式的態度，進行善意的規勸；同時，巧妙地引導對方獲得正確認識人的方法。比如，當對方談論他人時，可以先順著對方的話音，談談這個人確實存在的缺點，然後再談這個人的長處，進而形成一個正確的結論。不過你善意的規勸也要適可而止，如果對方冥頑不靈，毫不領情，你也不必太過執著，否則容易弄巧成拙，讓對方記恨於你。

三、不予理睬

當自己成為別人的議論焦點的時候，如果你知道對方搬弄是非惡習已成為他的性格特徵，那你就乾脆不必理睬他。「走自己的路，讓別人說去吧！」千萬不可一聽到搬弄是非的話，就立即去找那人對質。這樣會使大家都很難堪，解決不了根本問題。更不要一時性急，去找那人算帳，打起來那就更難堪了。這樣也會使大家把你和他等同起來，看成沒見識的人，你和他便因此成了宴會上的兩個「小丑」。

飯局制勝攻略

飯局之上，有些人心胸狹窄，十分小氣，又善於嫉妒，所以因為某些事情而惡語中傷他人是常見的事情，三十六計走為上計，面臨是非之境，逃離是最佳方法。當你察覺到別人在你面前搬弄他人是非的時候，你可以見機轉移話題，也可以找一個合理的藉口遠離此人。

寬厚平和應對尖酸刻薄之人

記住，有一顆寬恕之心是重要的生存之道，在宴會中尤其適用。

尖酸刻薄的人，往往愛取笑和挖苦別人，挖人隱私不留餘地，冷嘲熱諷無所不知，直到對方顏面丟盡才肯甘休，所以，在宴會中，很少有人願意與他們交往。在宴會之上，誰都無法避免尖酸刻薄話的侵犯，就算是最好的朋友，有時也可能由於某些原因而說出一些傷人的話。在這種情況下，最好學得臉皮厚一點，既然人人都有這種缺點，又何必去計較呢？錙銖必較，只會讓自己平添煩惱而已。

所以，當你聽到尖酸刻薄的話時，不妨用寬厚平和的態度去對待，雖然你知道那話是沖著你來的，如果你這樣想，那句話實際上與你無關，你也就自然能平心靜氣地對待了，一笑了之。

這天是公司的年終晚宴，不但公司裡的人全參加，還請來了不少業內人士。辦公室裡的同事都很興奮，女同事更是精心打扮，都想成為宴會上的焦點，蕭晴也不例外，為此，特意戴上了剛買的別緻胸針。

的確，那天的蕭晴確實吸引了不少目光。酒宴中途，蕭晴正在和幾個客戶聊天，這個時候，一位不認識的女士也加入到他們這個圈子裡，彼此寒暄了一番後，她和蕭晴更是親熱，聊著聊著，忽然她指著蕭晴的胸針說道：「你這枚胸針是商場裡正在打折的吧？」蕭晴聽了並沒有生氣，笑著說：「你怎麼知道，你的眼光可真準，我前幾天剛知道打折，特地去買的，你也去看了嗎？」

那個女士接著說：「是啊，前幾天我剛看過，挺好看的，只是一打折就掉價了。」蕭晴也不以為意，說道：「其實這個胸針也就值現在這個價，我買東西有一個原則就是物有所值，錢不好賺啊，要精打細算。」蕭晴說完還自嘲地笑了笑，其他人都覺得蕭晴說得有道理，跟著附和。那位女士也訕訕地隨聲附和道：「蕭小姐說得有道理。」

遇到尖酸刻薄的人，最好別把他的話當真，一笑了之是最好的辦法。你大可以像蕭晴這樣，把機智派上用場，持開玩笑的態度，化解掉自己的尷尬。同時，還應儘量和他保持距離，不要惹他。萬一吃虧，聽到一兩句刺激的話或閒言碎語，就裝作沒有聽見，千萬不能動怒，否則可能招惹麻煩上身。

對待尖酸刻薄的人，除了一笑了之外，還有一個方法是他說什麼你不必動怒，反而順著他的意思說下去，這也是與之抗拒的一個有力武器。比如他刻薄地說：「你今天怎麼穿得像花蝴蝶一樣。」你可以這樣笑著回答：「我想做個小妖精，你看好吧？」像這樣的應對，既顯出你的修養和素質，也避免了對方的得寸進尺，還可以調節宴會的氛圍。

雖說惡人還需惡人磨，但作為宴會中的一員，你有責任維持宴會的友好氣氛，而且你不是為鬥嘴而來赴宴的，不是嗎？所以不要與那些尖酸刻薄的人計較，保持良好的心態，去完成你赴宴的使命，讓他們自討沒趣去吧！

飯局制勝攻略

尖酸刻薄的人，天生一副伶牙俐齒，得理不饒人。飯局之上，能夠勇敢地對抗他的刻薄而又不至於反唇相譏，實在不是一件容易的事。一個有效的辦法是不要迴避，而採取直截了當的反問；另一個辦法，就是當著其他參加宴會者的面要求對方解釋他的話，一旦嘲弄你的人知道你看穿了他，也就自覺無趣，不會再騷擾你了。

第十二章

和國際接軌，駕輕就熟吃西餐

西餐對我們來說並不陌生，但沒有實戰經驗的人卻有很多。越來越國際化的社會，我們也應該和國際接軌，才能跟上時代的步伐，走在潮流的前端。你現在還不會吃西餐嗎？沒關係，從現在開始學習，看完這些西餐攻略，你也可以優雅地吃西餐。

西餐的基本禮儀

在西方宴請裡，當你應邀參加友好的宴會時，可以帶一束表示友誼的鮮花。

吃的禮節，不同的國家或文化常存在著許多差異，你認為禮貌的舉動，如代客夾菜、勸酒，歐洲人可能感到很不文雅或反感。儘管西方各國間有著諸多不同，但還是有許多禮節是通用的。隨著社會的發展，中西交流日益頻繁，我們接觸西餐的機會越來越多。為了能使你在初嘗西餐時表現得舉止嫻熟，那麼你應該瞭解一些西餐的基本禮儀。

琳達是剛畢業的大學生，成績優秀，能力出眾，現在在一個外資企業任職。這天，一個外國同事在家舉辦宴會，並熱情地邀請了她。琳達當時受寵若驚地答應了同事的邀請。但是，回到家之後，她開始苦惱起來。

原來，這是琳達第一次參加涉外宴請，剛開始工作，也沒怎麼去過正式場合，她平時又喜歡幹練的套裝，而邀請上明確寫著餘興節目是舞會，所以，把衣櫃翻了個底朝天也沒有找到一套可以參加這個宴會的禮服。怎麼辦呢？最後實在沒有辦法了，琳達只好挖空心思編了一個理由，然後打電話給同事說她不能去了，並表達了自己深深的歉意。還好，同事相信了她的理由，並邀她下次一定參加。琳達如釋重負。

不就是一次宴會而已嗎？琳達有必要那麼緊張，把自己搞得神經兮兮的嗎？的確有必要，在西方宴會中，穿著也是一種重要的要求，這不是以貌取人，而是一種西餐的基本禮儀。下面，就給大家細說西餐的基本禮儀，以免在以後的宴會中失禮。

一、應邀禮儀

因為主辦者必須事先決定席位以及做好料理安排等準備工作，所以被邀請者應儘快向對方答覆出席意願。你可在邀請函所附之回條注明參加意願後，儘快回函或者以電話告知。這樣一來，可使主辦者的準備工作進行得更加順利。

答覆的方式可以是口頭（電話）的，也可以是書面的。如應邀，可以在表示感謝之後說：「期待著前去參加宴會」，「我很高興前去」等。如不能應邀，可說「由於事先已另有約會，很抱歉不能參加，對失去這一機會表示十分惋惜」之類的話。如已答覆應邀，以後又因有其他更重要的事，而導致你無法前往參加，則更應真誠地向主人致歉並很好地加以解釋，使主人相信你確實是不得已而加以諒解。

二、穿著要求

針對不同的宴會形態、規模以及舉辦時間，選擇穿著出席的服裝也應有所不同。若是邀請函已經指定的話，就依照指定穿著。但一般來說，在正式的晚宴裡，男性大多穿無尾晚禮服，女性多穿晚禮服或小禮服出席。要是宴會沒那麼正式的話，男性可以身著深色西裝出席，女性則穿著優雅的連衣裙或套裝出席即可。此外，女性需注意的是，由於這是用餐場合，所以請以簡潔的髮型和妝容為主，香水也請酌量使用，不宜使用過濃的香水，以免香水味蓋過菜餚味道。此外，女士出席隆重晚宴時最好不要戴帽子及穿高筒靴。

三、簽到須知

一般來說，所有的宴會都是於開始前三十分鐘開始受理簽到。不過屆時簽到櫃檯一定會擠滿簽到的來賓，因此建議在宴會開始前十五分鐘左右抵達較好。一旦知道會比預定時間晚到時，請事先告知主辦者。

四、休息室等候

若主人提前備有休息室時，你可以在宴會開始前在休息室裡等候。只不過休息室通常不一定能容納所有人，所以應以主賓和長輩為優先。如果休息室人員已滿，你可以選擇在休息室外不干擾到他人的地方等候。當你進入休息室時，應由裡面的位置開始坐起，並靜靜地等待宴會開始。若是參與祝福性質的宴會，並在休息室裡碰到主辦者的家人或親戚朋友時，要說些祝福的話語和他們寒暄。

五、離席禮儀

除了結婚喜宴和正式宴會之外，通常普通的宴會並不會清楚標明結束時間。例如參加雞尾酒宴會，並沒有規定何時離開會比較好。如果沒什麼重要的事，最好等主賓離場後你再離場。

在離席時機的選擇上，以「中場」為標準。中場為散會的間接說法，當司儀宣佈「宴會已經進行到中場了」，這即是在示意該陸陸續續離席了，將此作為離席的時機較為適宜。

離席時，客人要等女主人從座位上站起後，一起隨著離席。在此之前不應提前離席。離席時，男賓應說明女賓把椅子放歸原處，餐巾可放在桌上不必原樣折好。宴會結束後，可視情況與主人和其他來賓再聚談一會兒，然後看時機告辭。離席時不要忘記向主辦者打聲招呼，感謝主人的熱情款待。

需要注意的是，如果你是主賓，那麼應先於其他客人向主人告辭。一般來說，主賓應在用完點心之後，移到客廳，再過二十至四十分鐘後告辭。一般客人則不要先於主賓告辭，否則對主人和主賓均不禮貌。如有重要的事情需要提前離開，則應向他們說清楚，求得諒解。

飯局制勝攻略

在西方宴請裡，當你應邀參加友好的宴會時，可以帶一束表示友誼的鮮花，或者帶點小禮品，送給主人，主人會感到十分高興。大型慶祝招待會，也可以在當天送花的，應視雙方關係及歷來做法而定，沒有具體的限制。

自助餐和雞尾酒會的禮儀

不論參與什麼樣形態的宴會，都應該要保持好儀態。

自助餐，它是目前國際上所通行的一種非正式的西式宴會，在大型的商務活動中尤為多見。由用餐者自在的選擇食物和飲料，然後或立或坐，自由地與他人在一起或是獨自一人用餐。

殷虹和好朋友林倩去參加一個商業酒會，人太多，所以是以自助餐的形式舉辦的。林倩是第一次參加這樣大型的酒會，一進大廳，就禁不住乍呼呼地叫了起來：「哇，這麼多好吃的啊，看得我口水都要流出來了。」引得眾人紛紛側目，殷虹趕緊把林倩拉到一個人少的角落說：「你就不能矜持一點嗎？跟劉姥姥進大觀園似的。」林倩才發覺自己失態，趕緊噤聲。

這次宴會是站立式餐會，開始進餐宴了，林倩拿著碟子張牙舞爪地弄了滿滿一盤，把盤子攪得一塌糊塗。後面的人都露出鄙夷的目光，林倩倒沒察覺到什麼，殷虹的臉卻像火燒了一樣。

自助餐之所以稱為自助餐，就是自己服務自己，自己任意選用菜餚。

一、自助餐禮儀

自助餐一般有站著用餐的站立式餐會和拿取料理後回到座位上用餐的坐席式餐會兩種。如果你要參加自助餐宴會，那麼需要注意哪些禮儀呢？

（1）學會盡情享受談話。自助餐形式的好處不只是可以依自己喜好拿取料理，最大的好處就在於能跟主辦者以及所有賓客輕鬆地進行交流。站立式餐會正因為能夠自由地活動，所以請不要將重點局限在餐點上，融入社交的氣氛中才是餐會的目的。

（2）掌握取用料理的方法。雖說這是憑個人的喜好拿料理，但也不該一次拿過多的量。基本上，拿取餐點的次數多少並不會有什麼影響，所以請高雅地少量選取。當你拿取料理時，不能把已夾入餐盤裡的食物再放回去。

一般在餐會開始的同時就會有飲料服務。若附有餐巾紙的話，建議用餐巾紙包住玻璃杯，這樣飲料就不會滴得到處都是。此外，在拿完料理之後，請儘快離開食物供應桌。已經使用完的盤子，請放置於餐盤回收處。

二、雞尾酒會上的禮節

雞尾酒會原本是西方國家比較傳統的一個社交節目。近年來雞尾酒會在國際交往中日漸普遍，許多大型活動前後往往都會舉辦雞尾酒會。雞尾酒會的形式活潑、簡便，便於人們交談。招待品以酒水為主，略備小點心、小麵包、小香腸，等等，置於小桌或茶几上，或由服務員拿著託盤，把飲料和點心端給客人。不設座椅，客人可隨意走動。

假如你即將要參加雞尾酒會，就一定要注意以下一些禮儀細節。

（1）參加雞尾酒會前一般要認真修飾一番。例如男士要穿西服或小禮服，女士要化妝並穿正裝等。

(2) 要彬彬有禮、舉止優雅。男士要儘量展現對女士的尊重，比如為女士拉椅子、脱大衣、拿酒水等。

(3) 雞尾酒會是端著盤子站著吃東西的。有時，服務員拿一個託盤走到你附近，你可以選擇取用喝或吃的東西；有時，你也可以自己去吧台拿取你想要的酒。

(4) 有的食品是用牙籤穿起來的，有的沒有牙籤，需用手拿，一定要拿一張紙巾去取用。

(5) 雞尾酒會上要小聲説話，小口啜飲酒水，小量進食，如果你不小心表露出饑餓難忍的饞相，就會被認為有失禮儀。

(6) 保持手的乾淨。在雞尾酒會上，你總會遇到一些人，需要不時地和別人握手。如果你伸出的手沾著蛋黃醬，握手時就可能沾到對方手上，別人會不高興的。所以你最好手中拿著一張紙巾，以便隨時擦手。建議你在雞尾酒會上用左手拿杯子，伸出你乾淨的右手去和別人握手。另外，食後不要忘了用紙巾擦嘴、擦手。當服務員經過的時候，將用完的紙巾給服務員就可以，或丟進垃圾桶。相信瞭解了上述雞尾酒會上需要注意的禮儀細節之後，你一定可以很快適應雞尾酒會上的氣氛，更好地實現你赴宴的目的。

飯局制勝攻略

不管參加什麼樣的宴會，隨時讓自己保持優雅的舉止總是沒錯的。千萬不要有「人很多，沒有人注意自己的僥倖心理」，也許，你在不知不覺間就成為了別人議論的焦點。

將

西餐的擺台及座次安排

西方餐飲禮儀的特點，首先是主與客角色分明，而且特別強調主人的角色。

隨著中外交流的日益頻繁，需要時常和外國人打交道，如果你不瞭解國外的餐飲禮儀，那該怎麼辦呢？曉曉現在就有這樣的煩惱。

曉曉終於辦理好所有的手續，要去國外留學了，這幾天她興奮得睡不著覺。可是，臨近要走的時候，曉曉卻唉聲歎氣起來。

這天晚上，已經很晚了，媽媽見曉曉的房間還亮著燈，便過去看看曉曉在做什麼。曉曉便向媽媽說出了自己的煩惱，原來曉曉雖然為即將要到國外去留學而開心，可是她對國外的文化瞭解得很少，曉曉苦惱地對媽媽說：「我總得知道到了國外該怎麼吃飯吧！我連國外的餐飲禮儀都不知道，我肯定寸步難行！」

曉曉的擔心大概是很多即將前往國外念書、工作或者生活的人的共同煩惱。瞭解西餐文化，首先要瞭解西餐的擺台和座次安排，這樣便於你進一步瞭解西餐的整個流程。下面為你簡單介紹一下西餐的擺台和座次安排，希望對你能有所幫助。

一、西餐的擺台

在西方國家，由於西餐類的宴會形式和規格不同，在家庭宴會和便宴中，好的台面，合理的佈局和餐具的整潔美觀，再加上有條不紊的環境佈置，能使人感到心情舒暢，同時也能為主人贏得很高的讚譽。一般的餐台設計為：四人以下的用小方台和小圓台；六至八人可用兩張方桌拚接，兩頭各坐一人，其餘分坐兩邊；十人可用三張桌子拚接；十二人可用四張桌子組成，正規餐座的個人座位寬度不應小於六十公分。當然家宴也可以用主人備好的圓台，主人會以一般便宴台為主來設計，台面擺設也會簡單一些。

二、桌次安排

餐桌的排列最好採用長方形，若人數較多，則採用T字形。U字形排列會使得氣氛變得較嚴肅，適用於商業談判，而不宜於一般請客吃飯，最好避免。桌次的高低依距離主桌位置的遠近而右高左低，桌次多時應擺上桌次牌。

三、席次安排

如果你是設宴者，那麼餐會開始前半小時就應先到場，預先安排座次。正式的西餐禮儀，男女主人分坐長桌兩頭，女主人右手邊的第一個位子為第一男主客的座次，左手邊的第一個位子為第二男主客座次。反之，男主人右手及左手邊的第一個位子，也是第一及第二女主客的位子。在座次安排好之後，最好能在每人的位子前放置標有姓名的牌子，以免造成混淆。這種牌子，一般在比較講究的西餐廳裡都有，以方便顧客就座。

如果是一男一女同去餐廳，男士應請女士坐在自己的右邊，但要注意不能讓她坐在人來人往的走道邊。若只有一個靠牆的位置，應請女士就座，男士坐在她的對面。如果是兩對夫妻用餐，夫人們應坐在靠牆的位置上，先生則坐在各自夫人的對面。如果兩位男士陪同一位女士進餐，女士應坐在兩位男士的中間。如果兩位同性進餐，那麼靠牆的位置應該給其中的年長者。西餐還有個規矩：每個人入座或離座，均應從座椅的左側進出。

舉行正式宴會時，同一桌上席位的高低也是依距離主人座位的遠近而區分。西方習俗是男女交叉安排，即使是夫妻也是如此。非官方接待時，以女主人的席位為準。主賓坐在女主人右首；主賓夫人坐在男主人右首。假如是商業性或公務性的餐宴，男士因有公事要談，理應坐在相近的位子；而女士們可趁機聊天，亦應坐在相近的位子。舉行兩桌以上的西式宴會，各桌均應有第一主人，其位置應與主桌主人的位置相同，其賓客也依主桌的座位排列方法就座。

飯局制勝攻略

西方餐飲禮儀的特點，首先是主與客角色分明，而且特別強調主人的角色。其次，男士坐一排，女士坐一排，大家排排坐好像開辯論會，是不恰當的，男女一定要交叉間隔著坐。此外，夫妻倆通常要隔開來坐，以便於各自交談，而使全桌氣氛融洽，皆大歡喜。

西餐的餐具及其擺設

吃西餐的時候，最為麻煩的就是餐具的使用，赴宴前最好先瞭解一下。

西餐和中餐最大的差別也許就在餐具之上，中餐的餐具就簡簡單單一雙筷子，或者是再添加一個湯匙，而西餐的餐具卻又是刀，又是叉的，可謂是餐桌上一道旖旎的風景。那麼，面對這麼多琳琅滿目的餐具，我們該如何使用呢？

小溪長相清純甜美，帶著一種與眾不同的氣質，所以，追求她的人很多，在眾多的追求者當中，田峰最為出眾，理所當然地獲得了小溪的芳心。第一次約會，地點選在市中心的一家豪華西餐廳，這是小溪第一次吃西餐，她的心裡忐忑不安。面對一大堆刀叉，真是老虎吃天鵝肉，無法下爪，看到小溪的窘態，田峰這才知道小溪是第一次吃西餐，於是細心地給她講了各個位置刀叉的不同用法，儘管如此，小溪這頓飯還是吃得戰戰兢兢。「早知道平常就多看看關於西餐的書了，即使沒有經驗也有常識，也不至於像今天這樣丟臉了。」小溪懊惱無比，真是書到用時方恨少啊！

雖然不同國家或地區餐具的擺放位置不同，但擺放的方式大致相似。西餐中常見的餐具可以狹義地理解為刀、叉和匙三大件。刀分為食用刀、魚刀、肉刀、奶油刀、水果刀，均有其專門的應用；叉分為食用叉、魚叉、肉叉、龍蝦叉；匙則有湯匙、甜食匙、茶匙。公用的刀、叉、匙規格明顯大於賓客用餐的刀、叉、匙。正規的宴會上，每一道菜均配有一套相應的餐具，並按菜單中設計的上菜順序由外向內依次排列。

一、餐前刀叉的擺放規矩

一般來說，西餐餐具擺放的規矩是：展示盤或疊好的餐巾擺放於餐位正中，盤前橫匙，左叉右刀。展示盤兩側的刀、叉、匙要排列整齊，或平行或直線，距桌邊距離相等，刀刃要一律朝向墊盤的一側，一般刀均放在墊盤的右側。各類匙放在餐刀的右邊，匙心朝上，餐叉則放在墊盤的左邊，叉齒均朝上。一個席位一般擺放三副刀叉。麵包刀又稱奶油刀，專供抹奶油、果醬用，而不是用來切面包的，它被放在客人左邊的麵包碟上，只放一把，不可與豎放的刀、叉發生交叉現象。餐具與菜餚相配，根據食用菜餚的先後順序，從裡至外依次擺放。

西餐宴席由於用餐方式、使用餐具等方面的不同，在擺台上主要有以下三種形式：

(1) 俄式擺台。一般餐巾放在整套餐具的最左邊。服務盤居中央，內放小墊布防止玻璃小墊盤放在上面時發出聲音。服務盤左約三公分處放大菜叉，沙拉叉在大菜叉左約一公分處。服務盤的右邊約三公分處放大菜刀，向右依次是奶油刀和清湯匙。水杯在餐刀尖上端約三公分偏右處，水杯右邊是白葡萄酒杯，白葡萄酒杯的上方是紅葡萄酒杯。麵包奶油盤在沙拉叉上方，叉尖指向盤中心。在麵包奶油盤和水杯中間，服務盤的上方約六公分處擺放甜點匙和甜點叉，甜點叉上方擺調料瓶。

(2) 美式擺台。台上先鋪墊布，再鋪台布，台布周圍下垂部分以碰到椅子面為準，即下垂部分一般約為三十六公分，不得超過四十公分，這樣將不會影響客人入座。餐桌中間放糖、鹽、胡椒罐，擺放數量以三至四人合用一套為標準。

每位賓客的餐具均按以下標準擺放：中間是方餐巾（離桌邊為三公分），或留出空位。在餐巾的左側從裡到外依次擺放主餐叉和沙拉叉。在餐巾的右側從裡到外依次擺放主餐刀、奶油刀、湯勺和茶匙。水放在餐刀的右前方，咖啡杯或茶杯放在水杯的右方或湯勺的右方。葡萄酒杯放在水杯的右側。美式服務中，水杯通常倒立在西餐甜點桌上，倒水之前才正立過來。麵包盤放在餐叉前端。奶油刀也可以置於麵包盤上，靠近上端與桌邊平行。

(3)法式擺台。鋪台布同美式一樣，但每個座位的餐具擺法不同於美式，即在距桌邊不超過三公分處放展示盤。在餐盤上擺放疊好的餐巾一條。餐叉置於餐盤的左側，其叉柄末端緊靠桌邊，裡邊為主餐叉，外邊為沙拉叉。餐刀置於餐盤右側，其刀柄末端緊靠桌邊。湯匙放在靠近餐刀的右側。奶油碟置於餐叉的左側，碟上置奶油刀一把，與餐刀平行。在餐盤的正前端，放甜品叉及甜品勺：勺在上，叉在下；勺把朝右，叉把朝左。飲水用的玻璃杯（或酒杯）放在餐刀的前端。

法式服務雖然沒有倒冰水的時間，但不能把玻璃杯倒放在餐桌上，此與美式服務正好相反。玻璃杯口朝下，將會使歐洲客人感到離用餐還有一段時間。當然如果擺台離營業或客人到來還有很長時間，玻璃杯口可以朝下，這樣可以預防灰塵落到杯中；但餐廳即將開始營業時，杯口應朝上。在客人用餐時間不供應咖啡（與美式服務不同），通常不用擺茶匙。供應咖啡應在甜點之後，茶匙置於咖啡杯的右側底碟上。

二、暫停食用菜點時刀叉的擺放規矩

如果你還沒有吃完，就不要把刀叉一起放到盤中，那樣服務員就會來幫你收起來，即使還有許多好吃的你都沒有吃，你也不能說「我還沒吃完」，會被視為十分失禮。

在西餐中，依照刀叉的放置方式不同，即可傳達是用餐中或者是用餐完畢的資訊。服務生是依照這個資訊來判斷是否要收拾盤子。

如果你想休息一下或和朋友聊會兒天，或要喝口酒、喝口水時，應將刀叉搭靠在自己的盤上呈八字形。服務員看到這樣的擺法，就知道你還沒吃好，知道你是在示意自己還要吃菜點。

暫停食用菜點時，英國人、法國人的示意方法也不相同。

(4)英式。叉在左邊，面朝下，刀在右邊。刀叉無需交叉，只要將刀叉放在盤子中間，擺成八字形，且注意不使其滑落即可。

(5)法式。叉在左邊，面朝下，刀在右邊。將刀叉交叉斜放。

三、表示用餐完畢時刀叉的擺放規矩

當你吃完一道菜或雖未吃完但不想再吃時，應該把刀和叉並排放在一起，刀柄和叉柄均朝向自己的胸部，千萬要記住不可朝向別人，那是十分不禮貌的。

法式是將刀叉齊置，柄的部分稍稍往右側挪放即可；英式是將刀叉齊置，柄的部分朝向自己。由於刀刃的部分相當危險，請將刃的部分向內。歐洲人的叉子是面向下的，而美國人一般不在意叉子朝上還是朝下。

飯局制勝攻略

吃西餐的時候，最為麻煩的就是餐具的使用，所以，在赴宴之前，最好是先瞭解一下擺台常識，對它們有個大體的瞭解，才不會讓自己手足無措。另外，在餐桌上，你也可以偷偷觀察別人怎麼放置刀叉，再依樣畫葫蘆，不過這是下策，一般不建議使用。

將 西餐的點菜技巧和方法

看不懂外文菜單，可以請問服務生，服務生會給予適當的建議。

由於中西文化的不同，西餐的進餐方式與中餐大不相同，西餐有著特有的進餐順序和規矩，當你去西餐廳用餐時也要遵循同樣的禮儀。

這天，陳浩接了一個大單子，想著請一幫哥們去吃大餐，於是，一幫豪爽的大老爺們浩浩蕩蕩地奔赴附近的高級西餐廳。優雅的環境，浪漫的氣氛，的確感染人，舉止也有風度多了，小聲交談，儒雅入座，當服務生遞上菜單的時候，一夥人都傻了眼，全外文的菜單，一個個的字母都認識，組合在一起卻不知所云了，都不知道該怎麼點菜，於是你推我，我推你，最後還是陳浩聰明，把服務生叫來，說明了情況，讓她幫忙點菜才解決了這個難題。

不管是中餐還是西餐，在餐廳裡，你能選擇的菜餚實在太多，讓你不知從何入手。現在我們就簡單介紹一些西餐點菜的竅門，希望對你會有所幫助。

一、西餐的菜序

西餐的第一道菜是開胃菜。常見的品種有魚子醬、鵝肝醬、燻鮭魚、雞尾杯、奶油雞酥盒等。因為目的是開胃，所以開胃菜一般都具有特色風味，味道以鹹和酸為主，而且數量較少，但品質較高。

西餐的第二道菜是湯。西餐的湯大致可分為清湯、奶油湯、蔬菜湯和冷湯四類。品種有牛尾清湯、各式奶油湯、海鮮湯、意式蔬菜湯、俄式羅宋湯等。

西餐的第三道菜一般是魚類，也稱為副菜，品種包括各種淡水、海水魚類，貝類。通常水產類菜餚與蛋類、麵包類、酥盒菜餚均稱為副菜。因為魚類等菜餚的肉質鮮嫩，相對比較容易消化，所以放在肉類菜餚的前面。

西餐的第四道菜是肉、禽類菜餚，也稱為主菜。肉類菜餚的原料多為牛、羊、豬肉，其中最有代表性的要屬牛肉或牛排。

西餐的第五道菜是蔬菜類的菜餚——也就是沙拉。與主菜同時上桌的沙拉為生蔬菜沙拉，一般用生菜、番茄、黃瓜、蘆筍等製作。

西餐的第六道菜是甜品，如布丁、薄餅、霜淇淋、乳酪、水果等。

西餐的最後一道菜是飲料，多是咖啡或茶。

二、西餐菜單的種類

(1) 單點：是一種可自行從菜單中挑選自己喜歡的料理的一種點餐形式。一般而言，菜單上有四或五大分類，分別是開胃菜、湯和沙拉、海鮮、肉類、點心。有時你可在菜單上找到一頁附在菜單上的「今日特餐」或「主廚推薦」，這些往往是餐廳精心製作且物超所值的菜餚。

(2)套餐：由前菜、主菜、甜點、咖啡等組成，是一種事先由餐廳為顧客搭配組合的料理形式，在調理法或味道方面的調配也較平衡，比起單點更能將費用壓低。當你搞不懂料理的名稱時選擇套餐可以省去很多麻煩。

(3)組合式套餐：是介於套餐和單點之間的點餐形式。雖然形式上和套餐大同小異，但程式中的每一道料理都提供了數種選擇可供參考，你可以根據自己的實際需要自由選擇。

飯局制勝攻略

假如你第一次吃西餐時，既不懂西餐料理，又看不懂菜單（全外文版的菜單），不用覺得不好意思，可以輕聲喚服務員過來請教，服務員會給你適當的建議。那樣總比你自己不懂而亂點一氣，最終鬧出笑話來好。

第十三章

部分國家餐飲禮儀小常識

吃飯是人際交往的靈魂，其他國家也不例外。每個國家都有其本國、本民族的特點和習慣，我們在交往中，應予以充分的尊重。只有瞭解他們的飲食文化，才能在應邀赴宴中舉止得體，拉近彼此的距離，建立良好的感情。

美國

美國人待客的家宴則是經濟實惠、不擺闊氣、不拘泥形式的。

認識一個國家可以從不同的角度去瞭解，餐飲禮儀是一個方面。美國人的食物因地區、民族不同而種類繁多、口味各異，漢堡、餡餅、甜甜圈以及炸雞等都是風靡世界的食品，但美國人待客的家宴則是經濟實惠、不擺闊氣、不拘泥形式的。通常的家宴是在一張長桌子上擺著一大盤沙拉、一大盤烤雞或烤肉、各種涼菜、一盤麵包片以及甜食、水果、冷飲、酒類等。賓主圍桌而坐，主人說一聲「請」，每個人端起一個盤子，取食自己所喜歡的食物，吃完後隨意添加，邊吃邊談，無拘無束。

美國人將請客人吃頓飯、喝杯酒或到鄉間別墅共度週末作為一種交流方式，並不一定要求對方做出報答。如有機會請對方到自家吃飯就不同了。吃完飯後，客人應向主人，尤其是向女主人表示感謝。

另外，美國人請客吃飯，屬公務交往性質的多安排在飯店、俱樂部進行，由所在公司支付費用，而對於關係密切的朋友才被邀請到家中赴宴。而且美國人不喜歡大擺宴席，倒是喜歡借早餐、午餐之機，邊進餐，邊談工作，討論業務，稱為「工作早餐」或「工作午餐」。美國總統就常和下屬一起共進早餐，瞭解他們對自己所提出的法案完成立法手續的前景等。商務工作人員採用較多的是「工作午餐」形式。

美國餐桌禮儀從入座、拿取餐巾，到開動、取用餐具、離席，皆有其自成一套的規矩，而其中座次與餐具安排，主人會在餐前準備妥當，無需費心。但你必須熟悉餐具的使用順序及位置功能，以免拿錯，鬧出笑話來。

在宴會上，美國人有一個特有的習俗，就是在上第一道菜的時候，每個男人要照顧他右邊相鄰的女士，細緻而耐心地為其效勞。在上第二道菜的時候，轉而為左邊相鄰的女士服務。這種做法可使每個女士都受到照顧。在美國，除了個人隱私以外的許多話題都可以成為談話的主題。

另外，如果你接到朋友邀請參加聖誕晚宴，那麼你一定要為朋友準備禮物的。在美國，耶誕節時交換禮物是一種很平常的習俗，就像中國人過年拿紅包一樣。如果你拿人家禮物而未準備和主人交換的禮物，將十分失禮。

飯局制勝攻略

在美國，一般受邀參加宴會，並不需要特別攜帶禮物。但是如果受邀到他人家裡做客，最好帶一點小禮物，如鮮花、酒或巧克力等，送給女主人以表示感謝。

日本

日本人一般不在家裡宴請客人。如果你得到他人邀請，是巨大的榮譽。

日本人以米為主食，他們愛吃魚。一般不吃肥肉和豬內臟，有的人不吃羊肉和鴨子。不論在家中或餐館內，座位都有等級，一般聽從主人的安排即可。日本有一種富有參禪味道並用於陶冶情趣的民族習俗——茶道。雖然不少現代日本青年對此已不感興趣，但作為一種傳統藝術仍受到社會的重視。

當到日本人家裡做客時，按慣例要帶上禮物。不過，不要帶貴重禮物，因為日本人認為他們應該以同等規格的禮物來回贈你。一般要為女主人帶上一束鮮花，但忌諱荷花和綠色；如果帶的是菊花，應選有十五片花瓣的菊花。同時還要帶上一盒點心或糖果，最好用淺色紙包裝，外用彩色綢帶打上結。一到達訪問的人家，要立即呈上自己的禮品。

如果這家沒有門鈴，千萬不要敲門，應打開門上的拉門，說一聲「借光，裡面有人嗎？」進門後，一定要在門廳摘脫帽子、手套和圍巾，脫掉你的鞋，穿上備用的拖鞋，並把脫下的鞋並放門外。在門口要相互致意。日本人不習慣讓客人參觀自己的廚房，因為廚房被認為是家庭的隱私，所以不要窺視廚房，也不要對它感到好奇。

在商務招待活動中，要讓日本人首先發出晚餐邀請，要讓有身分的日本人為你訂晚餐的菜。在你離開日本前，再發答謝邀請。在日本，商務晚宴幾乎從不邀請對方的配偶參加，日本男人很少攜女性家眷參加社交活動，尤其是平等地進行社交活動。此外，如果你為商界同仁在小酒館或餐廳安排一次社交聚會或一次宴會，通常要提前支付現金小費，以保證有周到的服務。

晚餐之後，必定要準備一場狂飲酒會。在日本，狂飲酒會是建立商務關係的一個不可分割的部分。同時，它也是讓別人瞭解你的真實感受的極好機會。如果某一外國客人在用餐中不與日本人一起喝啤酒，那麼，他的行為被視為極其失禮。當你正在喝酒的時候，不要談論商務，這是放鬆自己和建立彼此的信任關係的最佳時機。

在日本人的家中或日本餐館內，把背對著門看成是有禮貌的表現，只有在主人的勸說下，你才可以移向尊貴的位置，即面朝門的方向。如果你看到擺設著藝術品和裝飾品的壁龕，除非主人堅持，切不要坐在它上面，因為這一座位是為尊貴的客人準備的，絕不要在壁龕裡放任何東西。如果把你安排在門邊的位置，那便是一個微妙的標誌，表示你應該第一個離開。當主人安排好座次並請你入座時，男子坐的姿勢比較隨便，可盤腿而坐，但最好是跪坐，上身要直；女子要正跪坐或側跪坐，忌諱盤腿而坐。

日本人的餐具與中國一樣，主要是筷子和勺子。日本的筷子短而頭尖，吃日本飯菜時，筷子橫放在用餐者的胸前，日本人稱為「你手邊之物」。筷子是用來夾固體食物的，而勺子是為了吃自己碗內的食物使用的。

日式的菜餚通常是用一個托盤全部端上來。無論哪一種場合，客人都應當微微點頭致禮。

如果飯店或者旅館的服務人員上菜，那就聽憑他們放置，微微點頭致禮即可。如果主人親自端來食案，那麼，當食案端到你前面時，要致禮，並伸出雙手去接。席間若有其他客人，先接到食案的人必須向他旁邊的客人說：「我不客氣了。」待所有的客人都上了食案後，大家才開始進食。動筷子之前應有禮貌地說一聲：「我吃啦。」

日式飯菜一般都是每人一份，若碰到奇特菜式，可暗中先看旁人如何食用，再選定自己的對策；若實在不合口味，可以直言相告。日本人待客一般不用香菸，客人想吸菸要徵求主人同意，以顯示對其尊重。

用餐中的談話應集中談論這餐飯，誇它味美，談日本菜的烹調方式和他們食品的時令。一般來說，用餐時，日本人談話極少。用餐結束後，在請你吃泡菜之前，應先在自己的茶杯內刷洗筷子。吃完飯後，對招待你吃飯的人，或者服務員要說一聲：「這頓飯很有味道。」

日本人在接待至親好友時使用傳統的敬酒方式。主人會在桌子中央擺放一隻裝滿清水的碗，並把每個人的酒杯在清水中涮一下，然後將杯口在紗布上按一按，使杯子裡的水珠被紗布吸乾。這時主人斟滿酒，雙手遞給客人，並看著客人一飲而盡。

客人飲完酒後，也要將杯子在清水中涮一下，杯口按在紗布上吸乾水珠，同樣斟滿一杯酒回敬給主人。這種敬酒方式表示了賓主之間親密無間的友誼。

日本人在斟酒時也很講究禮儀。斟酒時，自己的酒杯不能拿在手裡，要放在桌子上，右手執壺，左手抵著壺底，千萬不要碰著酒杯，而且翻掌斟酒是非常失禮的。主人給客人們斟的第一杯酒，客人們一定要接受，否則是失禮的行為。主人再斟的第二杯酒，客人可以拒絕，日本人一般不強迫人飲酒。

在飲酒時絕不要自斟自飲。當別人為你斟酒時，你要把杯子端起來，在你放下杯子之前，必須先呷一口。如果用的是酒盅，要雙手接，喝光後，把酒盅放在餐巾紙上送還。不要單手舉杯，尤其是女性更要注意這一點。

用餐後，主人如果為你奉上綠茶，這就意味著你該告辭了。告別時，你應在離開房間後再穿外衣，而不要在房間裡穿上外衣，否則會顯得很不禮貌。

飯局制勝攻略

在日本，狂飲是人們發洩自己感情的一種辦法，而且喝得酩酊大醉也不以為恥。彼此同時喝醉，正好證明他們之間的友誼和忠誠；另外，吃麵的時候發出的聲音越大，主人越高興，這證明菜餚好吃。所以，在和日本人一起吃飯，豪爽一點最招人喜歡。

韓國

韓國非常注重長幼有序，出席某種場所時，要請長輩、客人先行。

這些年韓流來襲，令無數中國人迷上了精緻的韓國飲食。大街小巷也隨即多了很多韓式餐廳。雖然有不少人說自己愛吃韓國菜，但對於韓國菜的認識多止於韓國燒烤，再就是對人參雞湯或泡菜略知一二，而對其餘的飲食文化和禮儀一無所知。現在，我們就來好好學習一下。

一、韓國的家宴

到韓國人家裡做客，最好送一束鮮花或者一些小禮物，見面時雙手遞給主人，感謝主人的盛情接待。到韓國人家裡做客，在門口內側須事先脫掉鞋子。韓國人愛吃辣，食物裡常常少不了辣椒和大蒜。他們的主食以米和麵食為主，最喜愛的傳統麵食是辣椒麵和冷麵。韓國人製作冷麵的麵條是選用蕎麥麵製作的。他們每頓飯要有一碟酸辣菜，尤以酸辣白菜最為爽口。另外，韓國人在家中招待客人的話，會將所有的菜一次性上齊。

二、韓國的商宴

韓國人在接待商務方面的客人時，多在飯店或酒吧舉行宴請，以西餐形式招待。因此韓國擁有許多西餐館，比較常見的西餐速食有漢堡、炸雞、熱狗等。韓國人沒有收取小費的習慣，客人無論進餐、購物或住賓館等，均不必支付小費。

三、吃飯的注意事項

韓國餐館的內部結構一般分為兩種，即椅子式和脫鞋上炕式。前者的坐姿與中國人大致一樣。在炕上吃飯時的坐姿應為：男人盤腿而坐，女人右膝支立。這種坐法只限於穿韓服時使用，現在的韓國女性平時不穿韓服，所以只要把雙腿收攏在一起坐下就可以了。

韓國人用餐時一律使用不銹鋼製的平尖頭兒筷子，筷子只負責夾菜，如果湯碗中的豆芽兒菜用勺子撈不上來，也不能用筷子。筷子在不夾菜時應放在右手方向的桌子上，兩根筷子要攏齊，三分之二在桌上，三分之一在桌外，這是為了便於拿起來再用。

勺子在韓國人的飲食生活中比筷子更重要，它負責盛湯、撈湯裡的菜、裝飯等，不用時要架在飯碗或其他食器上。韓國人視端起飯碗吃飯的行為為不規矩的表現。吃飯時右手一定要先拿起勺子，從泡菜中盛上一口湯喝完，再用勺子吃一口米飯，然後再喝一口湯，再吃一口飯後，便可以隨意地吃任何東西了。

吃飯時，主人總要請客人品嘗傳統飲料，即低度的濁酒和清酒。濁酒亦稱農酒，是一種農家自釀酒，製作簡單，歷史悠久，將糧食搗碎加入酒麴發酵而成，酒色混濁，但酒精度低，清涼宜人，健胃提神，許多商店有售。而對於不飲酒的客人，主人多用柿餅汁招待。

分別時，要和主人握手說「再見」；若主人與客人一道離開某地，主人要對客人說「請慢走」；若客人不離開而主人需離去，則主人要對客人說「請留步」。

飯局制勝攻略

韓人最為看重長幼之理，如果你在應韓國人邀請出席宴會的時候，當主人讓你先行，此時不必客氣，否則就有喧賓奪主之嫌，是很失禮的。

將

法國

法國人宴請，客人要把碟中的食物吃完，否則會冒犯女主人或廚師。

法國人很重視選擇適當的飯館和菜式，以此來表達對客人的尊重和表現自己的誠意。對法國人來說，吃飯是做生意的開幕式，因為它可以建立良好的人際關係。商界宴客一般不需要像社交請客那樣——回請。比如與上司一起出差，上司請了下屬，下屬不必回請上司。公司中下屬一般不能邀請上司外出吃飯；如果上司請部屬到家中吃飯，則可以回請上司，邀請應以書面的形式向上司及其配偶發出，男性下屬應由妻子寫邀請信。

在餐桌上，屬下及其配偶應像在辦公室一樣，以尊稱稱呼上司及其配偶，也就是以頭銜前加姓相稱。

在法國，商業宴會的另一種形式是公司酒會，有兩種形式：一種僅限於職員參加；另一種由每個職員另帶一位客人，這位客人可以是妻子或丈夫，也可以是其他人。

在公司酒會上，自然要比辦公室更隨便一些，但是也要注意，不要喝醉酒。一般來說，這時上級對部屬可以隨便、親昵一些，但是作為職員不要因此忘形，對上司過於隨便。在酒會上，作為來賓的妻子或丈夫，與丈夫或妻子公司老闆談話時要注意，不要抱怨自己的丈夫或妻子工作太忙、收入太少，或透露家庭的困難。任何祕書都不要糾正上司所講的事情，即使上司所講的事情是不真實的。另外，來賓也不要傳播閒言碎語。一般而言，商業宴請多會邀請客人的配偶：外地的商業客人攜配偶來訪；曾和配偶一同參加宴請後回請對方；商業中的社交宴會，比如公司酒會等；商業交往中宴請個人朋友等。

需要注意的是，法國人一般不喜歡將客人邀請到家裡赴宴，被邀請到法國人家裡做客是十分難得的，即使彼此相識很久。不過，若有這類邀請的話，給女主人送上鮮花（不要送玫瑰花或菊花）或巧克力之類的小禮品是受歡迎的。

此外，按法國習慣，用餐時每人面前只放一副刀叉，一半放在碟中，一半放在桌布上，吃完後把刀叉放在碟中。在午宴時，可用有顏色的桌布和餐巾，桌上用具簡化，菜餚一般是為上午工作、下午還要接著工作的人們準備的，席間可能還有工作要談，因此要從簡、清淡。午宴時，只有慶祝活動才會上香檳。

在隆重的晚宴上，往往用最好的桌布、最講究的銀餐具，用很高的燭台，以散發出柔和的燭光。

在法國用餐時，兩手放在桌面上，但不能把兩肘也放上。把兩肘撐在桌上準備高談闊論或揮舞手勢的客人，會妨礙他人為你進行餐飲服務。

有這麼一種說法，英國人「注意著禮節吃」，德國人「考慮著營養吃」，義大利人「痛痛快快地吃」，而法國人則「誇獎著廚師的技藝吃」。

此外，麵包應放在台布上，用手折斷，千萬不要用手指把麵包屑捏團，也不要用麵包吸淨盤子，不能以這種方式來表示你對湯汁的欣賞。在食用時應十分注意使碟內儘量乾淨。

飯局制勝攻略

在用餐過程中絕對不可以吸菸。在法國，如果你在兩道菜之間點上一支菸，那將被視為野蠻的舉動。而且在宴會尚未完全結束時就在餐桌上吸菸，會被別人視為是愚蠢的，那表示你對主人提供的美食並沒有享受的感覺。

英國

英國人如果請你到家裡做客，你的早到是不禮貌的行為。

假如你要去英國人家裡做客，那麼最好帶一些價格不貴的禮品，因為花費不多就不會有行賄之嫌。禮品一般可以是高級巧克力、鮮花、威士忌或是具有民族特色的工藝品，往往能博得他們的格外欣賞，而對帶有客人公司標記的紀念品不感興趣。在接受禮品方面，英國人會當著客人的面打開禮品，無論禮品價值如何，或是否有用，主人都會對禮物給以熱情的讚揚，並表示對你的感謝。

一般來說，英國商人不太喜歡邀請客人至家中飲宴，聚會大都選在酒店、飯店進行。在英國，不流行邀對方在早餐時談生意。午餐和晚餐是業務宴客中的兩種最普通的形式。

如果餐宴中沒有女主人，主賓應坐在主人的右邊，第二位重要客人則應坐在左邊。商務宴會上，業務上所居的地位優先於社會地位，一個高級負責人所坐的席位應優先于下級負責人，即使這個下級是一個伯爵。但有時席位的先後可不考慮人們的身分地位，人們往往坐在最需要和他們談話的人旁邊，或者公司職員與來賓相間就座。

英國人的午餐通常在午後一點至一點半開始，客人到達和開宴的時間間隔較短。所以，客人務必準時到達，這點最為重要。通常，客人應該在下午兩點半之前告辭。

英國人的飲宴，在某種意義上來說，以儉樸為主，他們討厭浪費的人。比如說，要泡茶請客，如果來客中有三位，一定只燒三份的水。英國人對飲茶十分講究，各階層的人都喜歡飲茶，尤其是婦女嗜茶成癮。英國人還有飲下午茶的習慣，即在下午三或四點鐘的時候，放下手中的工作，喝一杯紅茶，有時也吃塊點心休息一下，稱為「茶休」。主人常邀請你共同喝下午茶，遇到這種情況，大可不必推卻。

下午茶一般持續一小時左右，飲料當然是茶。一般來說，英國人喜歡中國的紅茶，在英語中叫「Black tea」。茶葉置入暖壺，用沸水泡開，可同時放入牛奶、方糖，食品應清淡素淨，外形整齊。傳統食譜為各種熱糕、三明治、小圓餅、切成小塊的大蛋糕等。客人到齊後，女主人即起身倒茶，女主人會始終注意客人的茶杯，見到空杯，即給客人倒滿。吃茶點時，女賓應一手持碟，一手取食；同樣的，喝茶時應一手持茶托，一手拿杯子，絕對不能曲起小指。作為客人的你一定要注意英國人的下午茶禮儀，不可以莽莽撞撞，失了禮儀。

飯局制勝攻略

英國人如果請你到家裡做客，你的早到是不禮貌的行為。因為女主人要為你的到來做準備；你去早了，她還沒有準備好，會使她難堪。最好是晚到十分鐘。

附錄

你不可不知的各地美食行情

孔子曰：「飲食男女，人之大欲。」這是一條放之四海皆准的道理。古今中外，世界各地都不乏嗜吃、善吃、會吃的民族，更因其地域、種族、氣候條件、歷史傳統、文化習俗而各自呈現出特異的風貌，可謂洋洋大觀，歎為觀止。

中國八大菜系——歲月積澱下來的沉香

中國地廣人多，各地方特色分明，飲食更是一絕。

中國是一個餐飲文化大國，長期以來在某一地區由於地理環境、氣候物產、文化傳統以及民族習俗等因素的影響，形成有一定親緣承襲關係、菜點風味相近，知名度較高，並為部分群眾喜愛的地方風味著名流派，稱作菜系。中國菜餚在烹飪中有許多流派。其中最有影響和代表性的也為社會所公認的有：魯、粵、川、湘、閩、浙、蘇、徽等菜系，即被人們常說的中國「八大菜系」。

一、八大菜系之魯菜

魯菜的形成和發展與山東地區的文化歷史、地理環境、經濟條件和習俗風尚有關。山東是我國古文化發祥地之一。地處黃河下游，氣候溫和，遼東半島突出於渤海和黃海之間。境內沃野千里，物產豐富，交通便利，文化發達。其糧食產量居中國第三位；蔬菜種類繁多，品質優良，是號稱「世界三大菜園」之一。如膠州大白菜、章邱大蔥、蒼山大蒜、萊蕪生薑都蜚聲海內外。

山東菜簡稱魯菜，是中國著名的八大菜系之一，也是黃河流域烹飪文化的代表。山東菜可分為濟南風味菜、遼東風味菜、孔府菜和其他地區風味菜，並以濟南菜為典型，煎炒烹炸、燒燴蒸扒、煮燻拌、溜熗醬醃等有五十多種烹飪方法。

濟南風味菜以清香、脆嫩、味厚而純正著稱，特別精於製湯，清濁分明，堪稱一絕。遼東風味亦稱福山風味，包括煙台、青島等遼東沿海地方風味菜。該菜精於海味，善做海鮮，珍饌佳品，餚多海味，且少用佐料提味。此外，遼東菜在花色冷拚和花色熱菜的烹製中，獨具特色。孔府菜做工精細，烹調技法以燒、炒、煨、炸、扒見長，而且製作過程複雜。以煨、炒、扒等技法烹製的菜餚，往往要經過三四道工序方能完成。「美食不如美器」，孔府歷來十分講究盛器，銀、銅等餐具俱備。此外，孔府菜的命名也極為講究，寓意深遠。

二、八大菜系之粵菜

廣東菜簡稱粵菜。由廣州、潮州、東江客家菜三種地方菜構成。而三支地方菜又有各自不同的特色。廣州菜是粵菜的主要組成部分，以味美色鮮、菜式豐盛而贏得「食在廣州」的美譽。廣州菜有三大特點：一是鳥獸蟲魚均為原料，烹調成形態各異的野味佳餚。二是即開刀、即烹和即席烹製，獨具一格，吃起來新鮮火熱。三是夏秋清淡、冬春香濃，深受大眾的喜愛。

廣州菜包括珠江三角洲和肇慶、韶關、湛江等地的名食在內。地域最廣，用料龐雜，選料精細，技藝精良，善於變化，風味講究，清而不淡，鮮而不俗，嫩而不生，油而不膩。夏秋力求清淡，冬春偏重濃郁，擅長小炒，要求掌握火候和油溫恰到好處。

潮州菜屬閩南系，源於潮州，已有數千年的歷史。據史料記載，盛唐之後，潮州菜受中原烹飪技藝的影響，發展很快。明末清初，潮州菜進入鼎盛時期，潮州城內名店林立，名師輩出，名菜紛呈。近代，由於潮籍海外華僑的往來，潮州菜博海內外名食之精華，菜式更加豐富多彩，品質精益求精。時至今日，潮州菜已經發展成為獨具嶺南文化特色、馳名海內外的我國名菜之一。

東江菜又稱客家菜，用料以肉類為主，原汁原味，講求酥、軟、香、濃。注重火功，以燉、烤、煲、煸見稱，尤以砂鍋菜見長。做法上仍保留一些奇特的烹飪技藝，具有古代中原的風貌。

三、八大菜系之川菜

四川菜簡稱川菜。歷史悠久，風味獨特，馳名中外。隨著生產的發展和經濟的繁榮，川菜在原有的基礎上，吸收南北菜餚之長及官、商家宴菜品的優點，形成了北菜川烹、南菜川味的特點，享有「食在中國，味在四川」的美譽。川菜講究色、香、味、形，在「味」字上下工夫，以味的多、廣、厚著稱。

川菜口味的組成，主要有「麻、辣、鹹、甜、酸、苦、香」七種味道，巧妙搭配，靈活多變，創製出麻辣、酸辣、紅油、白油等幾十種各具特色的複合味，味別之多，調製之妙，堪稱中外菜餚之首，進而贏得了「一菜一格，百菜百味」的美譽。

川菜烹調方法有好幾十種，現在流行的仍有炒、煎、炸、燒、醃、鹵、煸、泡等三十多種。在烹調方法中，特別以小煎小炒、乾燒、乾煸見長。川菜與四川風景名勝一樣聞名於世，揚名天下。川菜系也是一個歷史悠久的菜系，其發源地是古代的巴國和蜀國。據《華陽國志》記載，巴國「土植五穀，牲具六畜」。

四、八大菜系之湘菜

瀟湘風味，以湖南菜為代表，簡稱「湘菜」。湖南省，南有雄奇天下的南嶽衡山，北有一碧萬頃的洞庭，湘、資、沅、澧四水流經全省，氣候溫暖，雨量充沛，陽光充足，四季分明，自然條件優厚，利於農、牧、副、漁的發展，故物產特別富饒。長期以來，「湖廣熟，天下足」的諺語，更是廣為流傳。豐富的物產為飲食提供了精美的原料，著名特產有：武陵甲魚，君山銀針，祁陽筆魚，洞庭金龜，桃源雞，臨武鴨，武岡鵝，湘蓮、銀魚及湘西山區的筍、菌和山珍野味。在長期的飲食文化和烹飪中，湖南人民創製了多種多樣的菜餚。

據考證，早在兩千多年前的西漢時期，長沙地區就能用獸、禽、魚等多種原料，以蒸、熬、煮、炙等烹調方法，製作各種款式的佳餚。隨著歷史的前進及烹飪技術的不斷交流，逐步形成了以湘江流域、洞庭湖區和湘西山區三種地方風味為主的湖南菜系。

五、八大菜系之閩菜

閩菜又稱福建菜，是我國八大菜系之一。最早起源於福建福州閩侯縣，在後來發展中形成福州、閩南、閩西三種流派。福州菜淡爽清鮮，重酸甜，講究湯提鮮，擅長各類山珍海味；閩南菜包括泉州、廈門、漳州一帶，講究佐料調味，重鮮香；閩西菜包括長江及西南一帶地方，偏重鹹辣，烹製多為山珍，帶有山區風味。故此，閩菜形成三大特色，一長於紅糟調味，二長於製湯，三長於使用糖醋。這一傳統即使進入上海，盡染海派風味後，依然未變。閩菜雖是以福州菜為基礎，但後又融合閩東、閩南、閩西、閩北、莆仙處所風韻菜為主形成的菜系。其中又以福州菜為代表，最具有影響力，閩菜的主體就是福州菜，具有如下四大特點：

(1) 刀工巧妙，寓趣於味，素有剞花如荔，切絲如髮，片薄如紙的美譽。

(2) 湯菜眾多，變化無窮，素有「一湯十變」之說。如用牛肉、雞肉、火腿製成三茸湯後，根據菜餚烹製的需要，再選擇干貝、魷魚、紅糟、京冬菜、梅乾菜、龍井茶葉或夜來花香等輔料中的一種料汁，摻進三茸湯，使湯的味道起了變化，給人以湯醇、料香、味新之感。

(3) 調味奇特，別具一方。閩菜的調味，偏於甜、酸、淡，這一特徵的形成，與烹調原料多取自山珍海味有關。善用糖甜去腥膻；巧用醋酸甜爽口；味清淡，則可保持原汁原味，並且以甜而不膩，酸而不峻，淡而不薄享有盛名。閩菜還善用紅糟、蝦油、沙茶、辣椒醬等調味，風格獨特，別開生面。

(4) 烹調細膩，雅致大方，以炒、蒸、煨技術最為突出。食用器皿別具一格，多採用小巧玲瓏、古樸大方的大、中、小蓋碗，愈加展現了雅潔、輕便、秀麗的格局和風貌。

六、八大菜系之浙菜

浙江菜簡稱浙菜，是浙江地方風味菜系。浙江是江南的「魚米之鄉」。浙菜發展到現代，是精品迭出，日臻完善，自成一格，有「佳餚美點三千種」之盛譽。歸納起來，浙菜有如下幾大特徵：一是用料廣博，配料嚴謹；二是刀工精細，形狀別緻；三是火候調味，最重適度；四是清鮮嫩爽，滋味兼得；五是浙菜三支，風韻各具。

浙江菜主要由杭州、寧波、紹興三支地方風味菜組成，攜手連袂，並駕齊驅。杭州素有「天堂」之稱。杭州菜製作精細，清秀雋美，擅長爆、炒、燴、炸等烹調技法，具清鮮、爽嫩、精緻、醇和等特點。寧波地方廚師尤善製海鮮，技法以燉、烤、蒸著稱，口味鮮鹹適度，菜品講究鮮嫩爽滑，注重本味，用魚乾製品烹調菜餚更有獨到之處。紹興菜品香酥綿糯，湯濃味醇，富有水鄉古城之淳樸風格。

浙菜以烹調技法豐富多彩聞名於國內外，其中以炒、炸、燴、溜、蒸、燒六類為擅長。「熟物之法，最重火候」，浙菜常用的烹調方法有三十餘類，因料施技，注重主配料味的配合，口味富有變化。其所擅長的六種技法各有千秋：

(1) 炒，以滑炒見長，要求快速成菜，質地滑嫩，薄油輕芡，清爽鮮美不膩；

(2) 炸，菜品外酥而內嫩，力求嫩滑醇鮮，火候恰到好處，以包裹炸、卷炸見長；

(3) 燴，用燴的技法所製作的菜餚，湯汁濃醇；

(4) 溜，用溜的技法所製作的菜品講究火候，注重配料，主料多需鮮嫩腴美之品，突出原料的鮮美純真之味；

(5) 蒸，講究配料和烹製火候，主料做到鮮嫩味美；

(6) 用燒，燒的技法所烹製的菜品，更以火工見長，原料要求燜酥入味，濃香適口。

另外，浙江的名廚高手烹製海鮮河鮮有其獨到之處，適應了江南人民喜食清淡鮮嫩之飲食習慣。烹製魚時，多以過水處理約有三分之二的魚菜是以水傳熱介質烹製而成，突出了魚的鮮嫩味美之特點，傳統菜當首推杭州的西湖醋魚，乃活魚現殺，經沸水汆熟，軟溜而成，不加任何油腥，滑嫩鮮美，眾口交贊。

七、八大菜系之蘇菜

蘇菜即江蘇菜。起始於南北朝、唐宋時，經濟發展，推動飲食業的繁榮，蘇菜成為「南食」兩大台柱之一。明清時期，蘇菜南北沿運河、東西沿長江的發展更為迅速。沿海的地理優勢擴大了蘇菜在海內外的影響。

蘇菜由揚州菜、南京菜、蘇州菜、鎮江菜組成。其味清鮮，鹹中稍甜，注重本味。在國內外享有盛譽。

江蘇為「魚米之鄉」，物產豐饒，飲食資源十分豐富。著名的水產品有鰣魚、刀魚、太湖銀魚、陽澄湖清水大閘蟹、南京龍池鯽魚以及其他眾多的海鮮品。優良佳蔬有太湖蓴菜、淮安蒲菜、寶應藕、板栗、雞頭肉、茭白、冬筍、荸薺等。名特產品有南京湖熟鴨、南通狼山雞、揚州鵝、高郵麻鴨、南京香肚、如皋火腿、靖江肉脯、無錫油麵筋等。

江蘇菜的特點是：用料廣泛，以江河湖海水鮮為主；刀工精細，烹調方法多樣，擅長燉燜煨焐；追求本味，清鮮平和；菜品風格雅麗，形質均美。

江蘇菜以重視火候、講究刀工而著稱，尤擅長燉燜煨焐，著名的「鎮揚三頭」（扒燒整豬頭、清燉蟹粉獅子頭、拆燴鰱魚頭）、「蘇州三雞」（叫花雞、西瓜童雞、早紅桔酪雞）以及「金陵三叉」（叉烤鴨、叉烤桂魚、叉烤乳豬）都是其代表之名品。

江蘇菜式的組合亦頗有特色。除日常飲食和各類筵席講究菜式搭配外，還有「三筵」具有獨到之處。其一為船宴，見於太湖、瘦西湖、秦淮中河；其二為齋席，見於鎮江金山、焦山齋堂、蘇州靈岩齋堂、揚州大明寺齋堂等；其三為全席，如全魚席、全鴨席、鱔魚席、全蟹席等等。

著名的菜餚有：清湯火方、鴨包魚翅、水晶餚蹄、松鼠桂魚、西瓜雞、鹽水鴨、清燉甲魚、雞汁煮乾絲等。

八、八大菜系之徽菜

徽菜是徽州菜的簡稱，不等於安徽菜，不包括皖北地區，主要指徽州地區，安徽省江南地區徽菜名中「徽」字就是由徽州而來，起源於黃山麓下的歙縣，即古代的徽州。徽菜的形成與江南古徽州獨特的地理環境、人文環境、飲食習俗密切相關。綠樹叢蔭、溝壑縱橫、氣候宜人的徽州自然環境，為徽菜提供了取之不盡，用之不竭的徽菜原料。得天獨厚的條件成為徽菜發展的有力物質保障，同時徽州名目繁多的風俗禮儀、時節活動，也有力地促進了徽菜的形成和發展。

徽菜系在烹調技藝上擅長燒、燉、蒸，而爆、炒菜較少，重油、重色、重火功。一是就地取材，以鮮制勝。徽地盛產山珍野味河鮮家禽，就地取材使菜餚地方特色突出並保證鮮活；二是善用火候，火功獨到。根據不同原料的質地特點、成品菜的風味要求，分別採用大火、中火、小火烹調；三是擅於燒燉，濃淡相宜。除爆、炒、溜、炸、燴、煮、烤、焐等技法各有千秋外，尤以燒、燉及燻、蒸菜品而聞名；四是注重天然，以食養身。徽菜繼承了祖國醫食同源的傳統，講究食補，這是徽菜的一大特色。

將 優雅西餐——美不勝收的異域風情

同樣以西餐統稱，卻有著大不相同的特點，以下詳細解說。

中餐是以「味」為核心，用舌頭吃飯的；西餐則以營養為核心，注重更為優雅的進餐氣氛。西餐這個詞是由於它特定的地理位置所決定的。「西」就是西方的意思，一般指歐洲各國。「餐」就是飲食菜餚。我們通常所說的西餐主要包括西歐國家的飲食菜餚，當然同時還包括東歐各國，以及地中海沿岸等國和一些拉丁美洲如墨西哥等國的菜餚。西餐一般以刀叉為餐具，以麵包為主食，多以長形桌台為台形。西餐的主要特點是主料突出，形色美觀，口味鮮美，營養豐富，供應方便等。西餐大致可分為法式、英式、意式、俄式、美式及地中海式等多種不同風格的菜餚。

不同國家的人有著不同的飲食習慣，有種說法非常傳神，說「法國人是誇獎著廚師的技藝吃，英國人注意著禮節吃，德國人喜歡痛痛快快地吃……」現在，我們就來看看不同西餐的主要特點。

一、西菜之首——法式大餐

法國人一向以善於吃並精於吃而聞名，法式大餐至今仍名列世界西菜之首。

法式菜餚的特點是：選料廣泛（如蝸牛、鵝肝都是法式菜餚中的美味），加工精細，烹調考究，滋味有濃有淡，花色品種多；法式菜還比較講究吃半熟或生食，如牛排、羊腿以半熟鮮嫩為特點，海味的蠔也可生吃，燒野鴨一般六成熟即可食用等；法式菜餚重視調味，調味品種類多樣。用酒來調味，什麼樣的菜選用什麼酒都有嚴格的規定，如清湯用白葡萄酒，海味品用白蘭地酒，甜品用各式甜酒或白蘭地等；法國菜和乳酪，品種多樣。法國人十分喜愛吃乳酪、水果和各種新鮮蔬菜。

法式菜餚的名菜有：馬賽魚羹、鵝肝排、巴黎龍蝦、紅酒山雞、沙福羅雞、雞肝牛排等。

二、**西菜始祖——意式大餐**

在羅馬帝國時代，義大利曾是歐洲的政治、經濟、文化中心，雖然後來義大利落後了，但就西餐烹飪來講，義大利卻是始祖，可以與法國、英國媲美。

意式菜餚的特點是：原汁原味，以味濃著稱。烹調注重炸、燻等，以炒、煎、炸、燴等方法見長。義大利人喜愛麵食，做法吃法甚多。其製作麵條有獨到之處，各種形狀、顏色、味道的麵條至少有幾十種，如字母形、貝殼形、實心麵條、通心麵條等。義大利人還喜食意式餛飩、意式餃子等。

意式菜餚的名菜有：通心粉素菜湯、餛飩、乳酪通心粉、肉末通心粉、披薩餅等。

三、**營養快捷——美式菜餚**

美國菜是在英國菜的基礎上發展起來的，繼承了英式菜簡單、清淡的特點，口味鹹中帶甜。美國人一般對辣味不感興趣，喜歡鐵扒類的菜餚，常用水果作為配料與菜餚一起烹製，如鳳梨火腿、菜果烤鴨。喜歡吃各種新鮮蔬菜和各式水果。美國人對飲食要求並不高，只要營養、快捷。

美式菜餚的名菜有：烤火雞、橘子燒野鴨、美式牛排、蘋果沙拉、糖醬煎餅等。

四、西菜經典——俄式大餐

沙皇俄國時代的上層人士非常崇拜法國，貴族不僅以講法語為榮，而且飲食和烹飪技術也主要學習法國。但經過多年的演變，特別是俄國地帶，食物講究熱量高，逐漸形成了自己的烹調特色。俄國人喜食熱食，愛吃魚肉、肉末、雞蛋和蔬菜製成的小包子和肉餅等，各式小吃頗有盛名。

俄式菜餚口味較重，喜歡用油，製作方法較為簡單。口味以酸、甜、辣、鹹為主，酸黃瓜、酸白菜往往是飯店或家庭餐桌上的必備食品。烹調方法以烤、燻醃為特色。俄式菜餚在西餐中影響較大，一些地處寒帶的北歐國家和中歐一些民族，人們日常生活習慣與俄羅斯人相似，大多喜歡醃製的各種魚肉、燻肉、香腸、火腿以及酸菜、酸黃瓜等。

俄式菜餚的名菜有：什錦冷盤、魚子醬、酸黃瓜湯、冷蘋果湯、魚肉包子、奶油鴨卷等。

五、實惠營養——德式菜餚

德國人對飲食並不講究，喜吃水果、乳酪、香腸、酸菜、馬鈴薯等，不求浮華只求實惠營養，首先發明自助速食。德國人喜歡喝啤酒，每年的慕尼黑啤酒節大約要消耗掉一百萬公升啤酒。

如何品味西餐文化，研究西餐的學者們經過長期的探討和總結認為：吃西餐應講究以下六個「M」。

第一個是「Menu」（菜單）：當你走進咖啡館或西餐館時，服務人員會先領你入座，待你坐好後，首先送上來的便是菜單。菜單被視為餐館的門面，老闆也一向重視，採用最好的材料做菜單的封面，有的甚至用軟羊皮打上各種美麗的花紋，顯得典雅精緻。

如何點好菜？這裡介紹一點經驗之談，那就是打開菜單後，看哪道菜是以店名命名的，這道菜可千萬不要錯過。因為那家餐館是不會拿自己店的名譽來開玩笑的，所以他們下工夫做出的菜，肯定會好吃的，這道「招牌菜」大家一定要點。另外要特別說明的一點是，不要以吃中餐的習慣來對待西餐的點菜問題：不要對菜單置之不理、不要讓服務人員為你點菜。在法國，就是總統吃西餐也得看菜單點菜。因為看菜單、點菜已成了吃西餐的一個必要程序，是一種優雅生活方式的表現。

第二個是「Music」（音樂）：豪華高級的西餐廳，通常會有樂隊，演奏一些柔和的樂曲，一般的西餐廳也播放一些美妙典雅的樂曲。但是，這裡最講究的樂聲是，即聲音要達到「似聽到又聽不到的程度」，就是說，要集中精力和友人談話就聽不到，在休息放鬆時就聽得到，這個火候要掌握好。

第三個是「Mood」（氣氛）：吃西餐講究環境雅致，氣氛和諧。一定要有音樂相伴，桌面整潔乾淨，所有餐具一定要潔淨。如遇晚餐，要燈光暗淡，桌上要有紅色蠟燭，營造一種浪漫、迷人、淡雅的氣氛。

第四個是「Meeting」（會面）：也就是說和誰一起吃西餐，這是要有選擇的。吃西餐的夥伴最好是親朋好友或是趣味相投的人。吃西餐主要是為聯絡感情，最好不要在西餐桌上談生意。所以在西餐廳內，氣氛一般都很溫馨，少有面紅耳赤的場面出現。

第五個是「Manner」（禮節）：這一點指的是「吃相」和「吃態」。既然是吃西餐就應遵循西方的習俗，勿有唐突之舉，特別是在手拿刀叉時，若手舞足蹈，就會「失態」。刀叉的拿法一定要正確：應是右手持刀，左手拿叉。用刀將食物切成小塊，然後用叉送入口內。一般來講，歐洲人使用刀叉時不換手，一直用左手持叉將食物送入口內；美國人則是切好後，把刀放下，右手持叉將食物送入口中。但無論何時，刀是絕不能送物入口的。西餐宴會，主人都會安排男女相鄰而坐，講究「女士優先」的西方紳士，都會表現出對女士的殷勤。

第六個是「Meal」（食品）：一位美國美食家曾這樣說過：「日本人用眼睛吃飯，料理的形式很美；吃我們的西餐，是用鼻子的，所以我們鼻子很大；只有你們偉大的中國人才懂得用舌頭吃飯。」中餐是以「味」為核心，西餐則以營養為核心，至於味道那是無法同中餐相提並論的。

亞洲料理——風味獨特的典範

韓國、日本、泰國的料理特色介紹。

說起亞洲料理，韓國料理和日本料理是大家再熟悉不過的了。然而亞洲還有其他菜也是很有特點的，比如泰國菜、菲律賓菜等。亞洲美食的魅力，早已不局限於亞洲這片土地，事實上，世界各地到處都有亞洲美食的粉絲。比如英國的一項最新網路調查就顯示，在英國人最喜歡的十大菜式中，中國菜拔得頭籌，其後依次是印度菜、英國菜、義大利菜、泰國菜、美國菜、墨西哥菜、日本菜、希臘菜和法國菜，亞洲美食共占五席，足可見亞洲美食的人氣之高。下面我們就來介紹一下繽紛的亞洲料理吧！

一、韓國料理

高麗參、雞、新鮮牛肉、海產品、青菜、燉、蒸、烤……單是聽到這些辭彙已經覺得是很健康營養的原料同做法了。韓國料理一般選材天然，不破壞營養成分的烹調方式，葷素搭配合理並且製作時追求少而精，以保證足夠的營養，不會叫人暴飲暴食。

韓國飲食特點十分鮮明，烹調雖多以燒烤為主，但口味非常討中國人的喜愛。與中國料理不同的是，韓國料理比較清淡，少油膩，而且基本上不加味精，蔬菜以生食為主，用涼拌的方式做成，味道的好壞全掌握在廚師的手指中。嘗過韓式泡菜的客人都對這個韓國飲食文化中的「國粹」難以忘懷。韓式烤肉以高蛋白，低膽固醇的牛肉為主。

韓國料理別有風味，富於特色。「辣」是韓國料理的主要口味之一，但這種辣卻與別的辣有所不同，有人曾經這樣描述過，川菜的辣是麻辣，透著鮮美；湘菜的辣是火辣，不加任何掩飾；而韓國菜的辣卻是入口醇香，後勁十足，會讓你著著實實地把汗出透。

韓國特色料理有韓國燒烤、韓國泡菜、石鍋拌飯、韓國大醬湯、養生參雞湯、狗肉等。

二、日本料理

日本料理即「和食」，起源於日本列島，並逐漸發展成為獨具日本特色的菜餚。和食要求色自然、味鮮美、形多樣、器精良。而且，材料和調理法重視季節感。日本菜按日本人的習慣稱為「日本料理」。按照字面的含義來講，就是把料配好的意思。日本菜是當前世界上一個重要的烹調流派，有它特有的烹調方式和格調，在不少國家和地區都有日餐菜館和日菜烹調技術，其影響僅次於中餐和西餐。「日本料理」的「理」，它的意思是盛東西的器皿。

在日本料理的製作上，要求材料新鮮，切割講究，擺放藝術化，注重「色、香、味、器」四者的和諧統一，尤其是不僅重視味覺，而且很重視視覺享受。

日本料理主要分為三類：本膳料理、懷石料理和會席料理。

本膳料理以傳統的文化、習慣為基礎的料理體系。源自室町時代（約十四世紀），是日本料理制度下的產物。現在正式的「本膳料理」已不多見，大約只出現在少數的正式場合，如婚喪喜慶、成年儀式及祭典宴會上，菜色由五菜二湯到七菜三湯不等。

懷石料理是在茶道會之前給客人準備的精美菜餚。在中世紀日本（指日本的鎌倉、室町時代），茶道形成了，由此而產生了懷石料理，這是以十分嚴格的規則為基礎而形成的。日本的「懷石料理」，距今已有四百五十多年的歷史。據日本古老的傳說，「懷石」一詞是由禪僧的「溫石」而來。那時候，修行中的禪僧必須遵行的戒律是只食用早餐和午餐，下午不可吃飯。可是年輕的僧侶耐不住饑餓和寒冷，將加熱的石頭包於碎布中稱為「溫石」，揣到懷裡，頂在胃部以耐饑寒。會席料理是日式晚會上的豐盛宴席菜式。隨著日本普通市民的社會活動的發展，產生了料理店，形成了會席料理。可能是由本膳料理和懷石料理為基礎，簡化而成的。其中也包括各種鄉土料理。會席料理通常在專門做日本菜的飯館裡可以品嘗到。

三、**泰國菜**

泰國是一個臨海的熱帶國家，綠色蔬菜、海鮮、水果極其豐富。因此泰國菜用料主要以海鮮、水果、蔬菜為主。泰國人的正餐都是以一大碗米飯為主食，佐以一道或兩道咖哩料理、一條魚、一份湯以及一份沙拉（生菜類），用餐順序沒有講究，隨個人喜好。餐後點心通常是時令水果或用麵粉、雞蛋、椰奶、棕櫚糖做成的各式甜點。由於深具得天獨厚的優點，因此泰國菜色彩鮮豔，紅綠相間，眼觀極佳，不管是新鮮蔬菜瓜果的豔麗清新，還是烏賊鱿魚等眾海鮮的肉感，都讓人們大飽了眼福。

泰國菜注重調味，常以辣椒、羅勒、蒜頭、香菜、薑黃、胡椒、檸檬草、椰子與其他熱帶國家的植物及香料提味，辛香甘鮮，口味濃重，別具一格，以各種風味蘸料拌以泰國美食，更演化出多重滋味。帶辣勁的涼拌沙拉、泰式酸辣湯、紅或綠咖喱（大多混合了椰漿）、蔬菜、各款烤肉串（牛、豬與雞，拌以米飯或麵點），都是具有代表性的泰國美食。

泰國菜以色香味俱全聞名，第一大特色是酸與辣，泰國廚師喜歡用各式各樣的配料如蒜頭、辣椒、酸柑、魚露、蝦醬之類的調味品來調味，煮出一鍋鍋酸溜溜、火辣辣的泰式佳餚。招牌菜有酸辣海鮮湯、椰汁嫩雞湯、咖喱魚餅、綠咖喱雞肉、芒果香飯等。魚、蝦、蟹都是各餐館的殺手鐧，什麼炭燒蟹、炭燒蝦、豬頸肉、咖喱蟹，等等。

泰國菜有四大菜系，各種菜系又有不同特色。

(1) 泰國南部菜：泰國南部，兩邊為海。當地的特色，取及鄰近馬來西亞菜多用的食料，如黃薑等。調味料較為濃，而有時候帶酸。著名菜式有：泰式黃咖哩、魚咖哩。

(2) 泰國中部菜：泰國中部，以首都曼谷為中心，也是「魚米之鄉」，蔬菜水果茂盛。食料較新鮮，而調料通常較甜。泰國中部的名菜有：冬陰功湯、椰奶湯、泰式紅咖哩、泰式綠咖哩、九層塔炒雞等。

(3) 泰國北部菜：泰國北部山區，深受緬甸菜的影響。泰國北部的名吃有咖哩湯河等。

(4) 泰國東部菜：泰國東部菜，和寮國菜相似，而米飯則愛吃糯米飯。名菜有：青木瓜沙拉、生肉沙拉等。泰國東部菜也會採用比較怪的食料，例如各種昆蟲。

活得好 39

飯局決定你的結局——職場必懂的飯局潛規則

飯局是一堂職場生存課，關鍵不在於吃，而是跟誰吃！

作　　者　蕭文鍵
顧　　問　曾文旭
總 編 輯　吳國鏞
編輯總監　丁莊敬
文字編輯　王玉琪
美術編輯　盧奕彣

印　　製　世和印製企業有限公司
初　　版　2013年07月
出　　版　凱信企業管理顧問有限公司
電　　話　（02）6636-8398
傳　　真　（02）6636-8397
地　　址　106 台北市大安區忠孝東路四段218-7號7樓

定　　價　新台幣280元／港幣93元

總 經 銷　創智文化有限公司
地　　址　236 新北市土城區忠承路89號6樓
電　　話　（02）2268-3489
傳　　真　（02）2269-6560

港澳地區總經銷　和平圖書有限公司
地　　址　香港柴灣嘉業街12號百樂門大廈17樓
電　　話　（852）2804-6687
傳　　真　（852）2804-6409

國家圖書館出版品預行編目資料

飯局決定你的結局 / 蕭文鍵作. -- 初版. --
臺北市：凱信企管顧問, 2013.07
　面；　公分
ISBN 978-986-5916-23-7(平裝)

1.職場成功法 2.社交技巧 3.人際關係
494.35　　　　102010448

讀者回函卡

親愛的讀者，感謝您購買《飯局決定你的結局——職場必懂的飯局潛規則》歡迎您針對本書內容填寫讀者回函卡，以作為我們日後出版方向的參考，我們將不定期寄發新書相關活動資訊給您，並持續為出版膾炙人口的好書努力。再次感謝您的支持！祝福您有個美好的閱讀時光！

您的姓名：＿＿＿＿＿＿＿＿　聯絡電話：＿＿＿＿＿＿＿＿

傳　　真：＿＿＿＿＿＿＿＿　e-mail：＿＿＿＿＿＿＿＿

出生日期：＿＿＿年＿＿＿月＿＿＿日

您的學歷：□高中及高中以下 □專科與大學 □研究所以上

您的職業：□製造業 □銷售業 □金融業 □資訊業 □學生
□大眾傳播 □自由業 □服務業 □軍警 □公務員 □教職員 □其他

您在何處購得本書：□金石堂書店 □誠品書店 □大賣場 □一般門市 □網路書店
□K-shop

您為何購買本書（可複選）：

□親朋好友介紹 □內容吸引人 □主題特別 □促銷活動 □作者名氣

□書名 □封面設計 □整體包裝 □網際網路：網址＿＿＿＿＿＿＿＿

□其他＿＿＿＿＿＿＿＿

您對這本書的評價：□很好 □好 □普通 □差

您會推薦本書給朋友嗎？□會 □不會 □沒意見

您最想看哪些作者、題材的書：＿＿＿＿＿＿＿＿

您最感到頭痛的生活問題是什麼：＿＿＿＿＿＿＿＿

給予我們的建議：＿＿＿＿＿＿＿＿

請沿線剪下來

請貼郵票

106
台北市大安區忠孝東路4段218-7號7樓
凱信企業管理顧問有限公司 收
電話：02-6636-8398

請沿線剪下來

請沿線反折、裝訂並寄回本公司

寄件人：________________

地址：□□□ ________________

____

____

凱信企管

生命中可以沒有茶香，但，絕對不能缺少書香。